人文武术精品书系



勿使前辈之遗珍失于我手
勿使国术之精神止于我身

孙禄堂

# 拳意述真

武学名家典籍丛书

# 孙禄堂武学集注

孙禄堂·著

孙婉容·校注

北京科学技术出版社

孙福全（1860—1933年），字禄堂，世以字行，号涵斋。河北完县（今河北顺平）人。资质聪颖，性情温和。幼从李魁垣读书习拳。继从李之师郭云深公深造。后闻北京程廷华精八卦掌，遂朝从程，暮从郭，研习两家拳法，功夫深厚，享名于京。因其相貌清癯，身材巧小，动作轻灵，时人有『活猴』之誉。五十余岁又从郝为桢学太极拳，晚年冶太极拳、形意拳、八卦掌技法于一炉，创进退相随，圆活敏捷的孙氏太极拳，并提出太极、形意、八卦三家会合为一体，一体分三派，『三派姿势虽不同，其理则一也』之理论。1928年，被南京中央国术馆聘为武当门长，嗣改就江苏省国术馆教务长。孙禄堂喜研周易、丹经，据以阐发拳理。著有《形意拳学》《八卦拳学》《太极拳学》《拳意述真》《八卦剑学》等。

拳意述真

# 一代宗师孙禄堂

孙禄堂（1860年12月—1933年12月），讳福全，晚号涵斋，河北省完县人，是清末民初蜚声海内外的儒武宗师，有“虎头少保”“天下第一手”及“武圣”之称誉。

孙禄堂从师形意拳名家李魁垣，艺成被荐至郭云深大师处深造。之后又承武林大家程廷华、郝为桢亲授，并得宋世荣、车毅斋、白西园等多位武林前辈的认可点拨。郭云深喜而惊叹曰：“能得此子，乃形意拳之幸也！”程廷华赞曰：“吾授徒数百，从未有天资聪慧复能专心潜学如弟者。”郝为桢叹服：“异哉！吾一言而子已通悟，胜专习数十年者。”孙禄堂南北访贤，得多位学者、高僧、隐士、道人指点，视野广开，尤其在《易经》、儒释道哲理、内丹功法方面，收益奇丰。孙禄堂精通形意拳、八卦拳、太极拳三拳，他以《易经》为宗旨，融会古今，打通内外，提出“三拳形虽不同，其理则一”的武学理念。孙禄堂已出版《形意拳学》《八卦拳学》《太极拳学》《八卦剑学》《拳意述真》五本武学经典。

孙禄堂创建的“孙氏太极拳”，在国术史上首次提出及印证了“拳与道合”这一经典命题，是太极拳发展史上的一座里程碑。

孙禄堂第一个提出：在文化领域里，武学与文学，具有等同的价值；又率先提出“国术统一”的思想，这在当时中国武术界引发了极大的反响。

孙禄堂集武学、文学、书法、哲学、教育学、社会学等多科学问于一身，武有成，文有养，是文武共舞共融的实践者。

右图 孙禄堂先生墓碑

下图 孙禄堂先生陵墓

太极图——意在一扭字，丹田、上下、内外，如同一气旋转，谓之转乾坤，扭气机，逆运先天真一之气

蛇形图——拳中蛇形能活动腰中之力，乃阴阳相摩之意

许多先辈名家对孙禄堂的成就给予肯定和赞许，如前辈宋世荣赠言：“学于后，空于前，后来居上，独续先宗绝学”；形意拳、八卦拳名家张兆东曰：“以余一生所识，武功能称神明至圣登峰造极者，独孙禄堂一人耳。”孙禄堂的武学文养、道德品行有识共赏，金一明著《国术史》有云：“若先生者，可谓合道、术二字而一炉共冶者”“其为人也，重然诺，有古风粹然之气见于面背，仁义之心著于四方。”

太极即一气　一气即太极

# 出版人语

武术作为中华民族文化的重要载体，集合了传统文化中哲学、天文、地理、兵法、中医、经络、心理等学科精髓，它对人与自然和谐共生关系的独到阐释，它的技击方法和养生理念，在中华浩如烟海的文化典籍中独放异彩。

随着学术界对中华武学的日益重视，北京科学技术出版社应国内外研究者对武学典籍的迫切需求，于 2015 年决策组建了“人文·武术图书事业部”，而该部成立伊始的主要任务之一，就是编纂出版“武学名家典籍”系列丛书。

入选本套丛书的作者，基本界定为民国以降的武术技击家、武术理论家及武术活动家，而之所以会有这个界定，是因为民国时期的武术，在中国武术的发展史上占据着重要的位置。在这个时期，中、西文化日渐交流与融合，传统武术从形式到内容，从理论到实践，都发生了巨大的变化，这种变化，深刻干预了近现代中国武术的走向。

这一时期，在各自领域“独成一家”的许多武术人，之所以被称为“名人”，是因为他们的武学思想及实践，对当时及现世武术的影响深远，甚至成为近一百年来武学研究者辨识方向的坐标。这些人的“名”，名在有武术的真才实学，名在对后世武术传承永不磨灭的贡献。他们的各种武学著作堪称为“名著”，是中华传统武学文化极其珍贵的经典史料，具有很高的文物价值、史料价值和学术价值。

首批推出的“武学名家典籍”丛书第一辑，将以当世最有影响力的太极拳为主要内容，收入了著名杨式太极拳家杨澄甫先生的《太极拳使用法》《太极拳体用全书》；一代武学大家孙禄堂先生的《形意拳学》《太极拳学》《八卦拳学》《拳意述真》《八卦剑学》；武学教育家陈微明先生的《太极拳答问》《太极拳术》《太极剑术》。民国时期的太极拳著作，在整个太极拳发展史上占有举足轻重的地位。当时的太极拳著作，正处在从传统的手抄本形式向现代著作出版形式完成过渡的时期；同时也是传统太极拳向现代太极拳过渡的关键时期。这一历史时期的太极拳著作，不仅忠实地记载了太极拳架的衍变和最终定型，而且还构建了较为完备的太极拳技术和理论体系，而孙禄堂先生的武学著作及体现的武学理念，特别是他首先提出的“拳与道合”思想，更是使中国武学产生了质的升华。

这些名著及其作者，在当时那个年代已具有广泛的影响力，而时隔近百年之后，它们对于现阶段的拳学研究依然具有指导作用，依然被太极拳研究者、爱好者奉为宗师，奉为经典。对其多方位、多层面地系统研究，是我们今天深入认识传统武学价值，更好地继承、发展、弘扬民族文化的一项重要内容。

本丛书由国内外著名专家或原书作者的后人以规范的要求对原文进行点校、注释和导读，梳理过程中尊重大师原作，力求经得起广大读者的推敲和时间的考验，再现经典。

“武学名家典籍”丛书，将是一个展现名家、研究名家的平台，我们希望，随着本丛书第一辑、第二辑、第三辑……的陆续出版，中国近现代武术的整体风貌，会逐渐展现在每一位读者的面前；我们更希望，每一位读者，把您心仪的武术家推荐给我们，把您知道的武学典籍介绍给我们，把您研读诠释这些武术家及其武学典籍的心得体会告诉我们。我们相信，“武学名家典籍”丛书这个平台，在广大武学爱好者、研究者和我们这些出版人的共同努力下，会越办越好。

# 前言

先祖父禄堂公 1933 年 12 月殁于故里，至今已 82 年；先父存周公 1963 年逝于北京，至今亦 52 了。而不管过多少年，先祖父和父辈留下的事业及由此带来的责任，却始终沉甸甸地压在我的心头。

先祖父孙禄堂，孙氏武学的创建者，喜文近武，得多位武术大师倾心传授，加以天赋资质，刻苦勤奋，数十年如一日，矢志不渝，精修形意、八卦、太极三派拳术，经半个多世纪的研习、探索、提炼，终臻化境。时人公论，集三派拳术于一身且精通技理者，独孙禄堂一人耳。故先贤宋世荣曾赠言："学于后，空于前。后来居上，独续先宗绝学。"

先祖父品德高尚，武功造极，学识渊博，又深谙国学，感悟武术与"周易"关联，遂参《易》修拳，首提关乎武学未来走向的"拳与道合"之理，并冶三拳技理于一炉，创立了"三拳形虽不同，其理则一"的孙氏太极拳，在中国太极拳发展历史上，立起了一座划时代的丰碑。

先祖父武学著作颇丰，代表作《形意拳学》《八卦拳学》《太极拳学》《拳意述真》《八卦剑学》，技理俱佳，极具科学性、可读性以及实用价值。传播至今，仍被武学研究者奉为圭臬。

孙氏后人，时刻以先人的荣誉为荣，更以弘扬先人开创的一脉拳学为己任。20 世纪 90 年代初，由先姐孙叔容组织孙氏武学门人，首次对孙禄堂武学著作进行了整理及简注。

21 世纪初，再由先姐孙叔容，带领笔者及亡弟宝亨，编著出版了《孙禄堂武学著作大全增订本》。

先姐在这册《大全增订本》前言中申明了笔者姐弟之所以一而再、再而三整理注释先祖父遗著的初衷：

先祖“阐明武学之道，刊行于世，裨益后学者多矣。”然“孙氏武学著作中常引用儒、释、道三家之说，及阴阳、五行、八卦、运行之理，以阐发拳中之奥义，每有文言体裁，且引述《易经》及黄老之学，难为近人所接受，笔者等遂编写《孙禄堂武学著作大全简注》一书以应读者之需，出版以来备受读者喜爱。现初版书早已告罄，而索书者日众。今经笔者对《孙禄堂武学著作大全简注》一书进行补充校订，以修订本问世，以飨孙氏武学爱好者。”

先姐所言，道出了吾辈孙氏后人的心声，在此《孙禄堂武学著作大全简注》之后，笔者亦筹资先后自费出版印行了再现先祖父五本经典拳学原版原貌的《孙禄堂武学全集》和全面展示先祖父文有养，武有成，文武共舞共融风采的《孙禄堂文武集》。

先祖父所著五本经典拳学，影响深远，求索者众。先父孙存周昔年在世时，几度再版，仍不敷求。本人效仿先父，为酬孙氏武学之知音，不畏其难，自筹资金，自费印制《孙禄堂武学全集》，亦是孙家后人“成先人之志，不坠其业”的一点儿执守。

光阴荏苒，仅《孙禄堂武学著作大全增订本》的问世，转瞬已15年矣。包括以先姐为首的合作人，除笔者外，俱已驾鹤西去。然孙氏武学之研究，却始终没有停止，整理修订工作正未有穷期。

笔者虽届米寿之年，但责无旁贷，誓担此任，力足赴之，薪火相传，团结门人弟子、学生以及所有爱好者，为传承普及推广孙氏武学，继续进行公益教学、编著及有关的社会活动。恰逢此时，北京科学技术出版社紧跟国家前进步伐，为弘扬中国武术文化，以人为本，实现梦想，相约出版“武学名家典籍”丛书之《孙禄堂武学集注》，双方一谋即合，决心倾情共襄孙氏武学研究领域的这一盛举。

由笔者担任校注的《孙禄堂武学集注》，集孙禄堂武学著作竖排原版原文、横排简体版、孙禄堂部分历史图照及书法作品为一体，重点对孙禄堂原著进行点校正误，并在旧作《孙禄堂武学著作大全增订本》的基础上，增加修正部分解注。旨在更有利于习者阅读，理论联系实际，提升武技水平。本版《孙禄堂武学集注》的影印部分，选用民国十六年（1927 年）至民国廿四年（1935 年）间出版的孙禄堂原著，原书版次可见于各册影印部分结尾的版权页，供读者核查。

本书完稿，即将付梓，虽严加校正，亦恐难臻至善不留讹舛，敬请方家正之。

孙婉容

乙未秋月书于北京颐清园

# 孝意述真

陸軍步兵少校六等文虎章孫禄堂

# 拳意述眞序

孫祿堂先生以形意八卦太極拳術教授後學恐久而失其眞也乃作拳意述眞述先輩傳授之精意而加以發揮竣稿後命余序之三家之術其意本一，大抵務勝人尙氣力者源失之濁，不求勝于人神行機圓而人亦莫能勝之者其源則清。清則技與道合，先生是書皆合乎道之言也，先生學形意拜李奎垣先生之門，李之師爲郭先生雲深，而先生實學于郭從之最久。幼棄其業，隨之往來各省，郭先生騎而馳，先生手攬馬尾步追其後奔逸絕塵，日嘗行百餘里，至京師聞程先生廷華精八卦拳術，董海川先生之徒也，訪焉又絕受其術，程先生贊先生敏捷過于人人亦樂授之。蚤從郭暮依程，如是精練者數年，游行郡邑，聞有藝者必造訪或不服與較，而先生未嘗負之，故郭程二先生贊曰此子眞能不辱其師，先生年五十餘，居京師有郝先生爲眞者自廣平來郝善太極拳術又從問其意郝先生曰異哉吾一書而子通悟勝專習數十年者故先生融會三家而能得其精微筆之於書表章先輩開示後學明內家道藝無二之旨動靜交脩之法其理深矣其說俱備于書閱者自知之余因略述先生得道之由以見先生是書乃苦功經歷所得者非空言也

民國十二年歲次癸亥仲冬蘄水陳曾則序

# 拳意述眞自序

夫道者。陰陽之根。萬物之體也。其道未發。懸於太虛之內。其道已發。流行於萬物之中。夫道一而已矣。在天曰命。在人曰性。在物曰理。在拳術曰內勁。所以內家拳術。有形意、八卦、太極三派。形式不同。其極還虛之道則一也。易曰。一陰一陽之謂道。若偏陰偏陽。皆謂之病。夫人之一生。飲食之不調。氣血之不和。精神之不振。皆陰陽不和之故也。故古人創內家拳術。使人潛心玩味。以思其理。身體力行。以合其道。則能復其本來之性體。然吾國拳術門派頗多。形式不一。運用亦異。畢生不能窮其數。歷世不能盡其法。余自幼年好習拳術。性與形意八卦太極三派之拳術相近。研究五十餘年。得其概要。曾著形意八卦太極拳學。已刊行世。今又以昔年所聞先輩之言。述之於書。俾學者得知其眞意焉。三派拳術。形式不同。其理則同。用法不一。其制人之中心而取勝於人者則一也。按一派拳術之中。諸位先生之言論形式。亦有不同者。蓋其運用。或有異耳。三派拳術之道。始於一理。中分爲三派。末復合爲一理。其一理者。三派亦各有所得也。形意拳之誠一也。八卦拳之萬法歸一也。太極拳之抱元守一也。古人云。天得一以淸。地得一以寧。人得一以靈。得其一而萬事畢也。三派之理。皆是以虛無而始。以虛無而終。所以三派諸位先生所練拳術之道。能與儒釋道三家。誠中。虛中。空中之妙理。合而爲一者也。余深恐諸位先生之苦心精詣。久而淹沒。故述之。以公同好。惟自愧學術譾陋。無文或未能發揮諸位先生之妙旨。望諸同志。隨時增補之。以發明其道可也。

民國十二年歲次癸亥直隸完縣孫福全序

祿堂先生旣著形意八卦太極三書行世嘉惠後學厥功匪淺，然猶懼不知者，以拳術爲禦侮之具僅憑血氣之勇也，於是有拳意述眞之作，凡拳中之奧義闡發無遺，平日所聞之諸先生輩者一一筆之於書，使好拳術者由此而進於道焉，俾武術之眞義不致湮沒，此先生之苦心也，其以述眞名者蓋本述而不作之意，於此益見先生之謙德已

民國十二年歲次癸亥冬月吳心穀拜讀並識

# 拳意述眞目次

第一章形意拳家小傳

## 第一章形意拳家小傳

李先生諱飛羽、字能然世稱老能先生。或曰洛能。洛農。老農。皆一音之轉也。直隸深縣人。經商於山西太谷。喜拳術。聞縣境有戴龍邦先生者。善形意拳。往訪焉。覿面一見。言談舉止。均甚文雅。不似長武術者。心異之。辭去。他日倩人介紹拜爲門下。時先生年三十七歲也。自受教後。晝夜練習二年之久。所學者僅五行拳之一行。卽劈拳、並半蹚連環拳耳。雖所學無多。而心中並不講益。誠心習練。日不間斷。是年龍邦先生之母。八十壽誕。先生前往拜祝。所至之賓客。非親友。卽龍邦先生之門生。拜壽之後。會武術者。皆在壽堂練習、各盡其所學焉。惟先生只練拳蹚半。龍邦先生之母。性喜拳術。凡形意拳之道理。並形式。無所不曉。遂問先生爲何連環拳只練半蹚。先生答曰。僅學此耳。當命龍邦先生曰。此人學有二年之久。所教者甚少。看來到是忠誠樸實。可以將此道理用心教授之。龍邦先生本是孝子。又受老母面諭。乃盡其所得乎心者。而授之先生。先生精心練習。至四十七歲。學乃大成。於形意拳之道理。無微不至矣。每與人相較。無不隨心所欲。手到功成。當時名望甚著。北數省人皆知之。教授門生。郭雲深。劉奇蘭。白西園。李太和。車毅齋。宋世榮。諸先生等。於是先生名聲愈著。道理愈深。本境有某甲。武進士也。體力逾常人。兼善拳術。與先生素相善。而於先生之武術。則竊有不服。每蓄意相較。輒以相善之故。難於啓齒。一日會談一室。言笑一如平常。初不料某甲之蓄意相試。毫無防備之意。而某甲於先生行動時。乘其不意。竊於身後。卽捉住先生。用力舉起。及一伸手。而身體已騰空。斜上頭顱觸人頂棚之內。復行落下。兩足仍直立於地。未嘗傾跌。以邪術疑先生。先生告之曰。是非邪術也。蓋拳術上乘神化之功。有不見不聞之知覺。故神妙若此。非汝之所知也。時人遂稱先生曰神拳李能然。年八十餘歲。端坐椅上。一笑而逝。

郭先生諱峪生。字雲深。直隸深縣馬莊人。幼年好習拳術。習之數年。無所得。後遇李能然先生。談及形意拳術形式極簡單。而道則深奧。先生甚愛慕之。能然先生。視先生有眞誠之心。遂收爲門下。口傳手授。先生得傳之後。心思會悟。身體力行。朝夕習練。數十年。能然先生傳授手法。二人對手之時。倏忽之間。身已跌出二丈餘。並不覺有所痛苦。只覺輕輕一划。遂飄然而去。先生旣受能然先生所教拳術三層之道理。以至於體用規矩法術之奧妙。並劍術刀槍之精巧。無所不至其極。常遊各省。與南北二派同道之人交接甚廣。閱歷頗多。亦嘗戲試其技。令有力壯者五人。各持木棍。以五棍之一端。頂於先生腹。五人將足立穩。將力使足。先生一鼓腹。而五壯年人。一齊騰身而起。跌坐於丈餘之外。又練虎形拳。身體一躍。至三丈外。先生所練之道理。腹極實。而心極虛。形式神氣沉重如泰山。而身體動作輕靈如飛鳥。所以先生遇有不測之事。只要耳聞目見無論何物。來的如何勇猛速快。隨時身體皆能避之。先生熟讀兵書。復善奇門。著有解說形意拳經詳細明暢。賜　予收藏。後竟被人竊去。不知今藏何所。未能付梓流傳。致先生啓迪後學之心。湮沒不彰。惜哉。先生懷抱絕技奇才。未遇其時。僅於北數省教授多人。後隱於鄉閭。至七十餘歲而終。

劉先生。字奇蘭。直隸深縣人。喜拳術。拜李能然先生爲師。學習形意拳術。先生隱居田廬。教授門徒。聯絡各派。無門戶之見。有初見先生。數言即拜服爲弟子者。先生至七十餘歲而終。弟子中以李存義耿誠信周明泰三先生。藝術爲最。其子殿臣。著形意拳抉微。發明先生之道。

宋世榮先生。宛平人。喜崑曲圍棋。性又好拳術。在山西太谷開設鐘表鋪。聞李能然先生。拳術高超。名冠當時。託人引見。拜爲門下。自受教後。晝夜勤苦習練。迄不間斷。所學五行拳及十二形。無不各盡其妙。練習十二形中蛇形之時。能蓋蛇之性能。回身向左轉時。右手能攝住右足跟。及向右轉時。左手能攝住左足跟。回身停式。身形宛如蛇盤一團。開步走蹚。身形委曲灣轉。又如蛇之撥草蜿蜒而行也。練燕形之時。身子挨着地。能在板凳下邊。一掠而過。出去一丈餘遠。此式之名。卽叫燕子抄水。又練狸貓上樹。（此係拳中一着之名目）身子往上一躍。手足平貼於墻。能粘一二分鐘時。當時同門同道及門外之人。見者固極多。現時曾親覩先生所練各式之技能者。亦復甚夥。蓋先生格物之功甚深。能各盡其性。故其傳神也。若此昔伶人。某與先生相識。云在歸化城時。親見先生。與一練技者。比較。二人相離丈餘練技者挺身一縱甫一出手。其身已如箭之速跌出兩丈有餘。而先生則毫無動轉。只見兩手於練技者之身一划耳。余二十餘歲時住於北京。小席兒胡同。白西園先生處。伶人某與白先生對門居聞其向白先生晉如此。民國十二年一月間。同門人某。往太谷拜見先生。先生時年八十餘歲矣。精神健壯。身體靈動。一如當年。歸後告於予曰。先生談及拳術時。仍復眉飛色舞。口言其理。身比其形。殊忘其身爲耄耋翁。且歎後進健者之不如焉。

車先生。永宏字毅齋。山西太谷縣人。家中小康。師李能然先生。學習拳術。先生自得道後。視富貴如浮雲。隱居田間。教授門徒甚多。能發明之道者、山西祁縣喬錦堂先生爲最。先生樂道。始終如一。至八十餘歲而終。

張先生。字樹德，直隸祁州人。幼年好習武術。拜李能然先生爲師。練拳並劍刀槍各術。合爲一氣。以拳爲劍。以劍爲拳。所用之槍法極善。有來訪先生比較槍法者。皆爲先生所敗。先生隱居田間。教門徒頗多。門徒承先生之技術者。亦不乏人。先生至八十餘歲而終。

劉先生。字曉蘭。直隸河間縣人。爲賈於易州西陵。性喜拳術。幼年練八極拳。工夫極純。後又拜李能然先生爲師。研究形意拳術。教授門徒。直省最多。老來精神裕壯。八十餘歲而終。

李生先字鏡齋。直隸新安縣人。以孝廉歷任教授。性好拳術。年六十三拜李能然先生為師。與郭雲深先生相處最久。研究拳術。練至七十餘歲。頗得拳術之奧理。動作輕靈。仍如當年。先生云。至此方知拳術與儒學之道理。並行不悖。合而為一者也。李先生壽至八十而終。

李先生名存義。字忠元。直隸深縣人。輕財好義。性喜拳術。幼年練習長短拳。後拜劉奇蘭先生之門。學形意拳術。習練數十年。為人保鏢。往來各省。途中遇盜賊。手持單刀對敵。賊不敢進。或聞先生之名。義氣過人。避道者。故人以單刀李稱之。民國元年。在天津創辦武士會。教授門徒。誨人不倦。七十餘歲而終。

田先生字靜傑。直隸饒陽縣人。性好拳術。拜劉奇蘭先生為師。先生保鏢護院多年。生平所遇奇事甚多。惜余不能記憶。故未能述之。先生七十餘歲。在田間朝夕運動。以藥晚年。

李先生。諱殿英。字奎垣。直隸淶水縣。山後店上村人。幼年讀書。善小楷。性喜拳術。從易州許某學彈腿八極等拳。工夫極純熟。力量亦頗大。先生在壯年之時。保鏢護院。頗有名望。每好與人較技。時常勝人。後遇郭雲深先生。與之比較。先生善用腿。先生之脚方抬起。見雲深先生用手一划。先生身後有一板橙。先生之身體從板橙越過去兩丈餘遠。倒於地下矣。先生起而謝罪。遂拜爲門下。侍奉雲深先生如父子然。後蒙雲深先生敎授數年。晝夜習練。將所受之道理。表裏精微。無所不至其極矣。余從先生受敎時。先生之技術。未甚精妙。先生自得道後。常爲書記。不輕言拳術矣。余遂侍從郭雲深先先受敎。先生雖不與人輕言拳術。而仍練拳不懈。他人所不知也。先生至七十餘歲而終。

耿先生。名繼善。字誠信。直隸深縣人。喜拳術。拜劉奇蘭先生爲師。學習形意拳。

隱居田間。以道爲樂。傳授門徒多人。七十餘歲。身體輕靈。健壯仍如當年。

周先生字明泰。直隸饒陽縣人。幼年在劉奇蘭先生家爲書童。喜拳術。遂拜奇蘭先生爲師。練習數載。保標多年。直隸鄭州一帶。門徒頗多。六十餘歲而終。

許先生名占鰲。字鵬程。直隸定縣人。家中小康。幼年讀書。善八法。性喜拳術。專聘教習。練習長拳刀槍劍術。身體輕靈。似飛鳥。知者皆以賽毛稱之。後又拜郭雲深先生爲師。學習形意拳術。傳授門徒頗多。六十餘歲而終。

## 第二章 八卦拳家小傳

董海川先生。順天文安縣朱家塢人。喜習武術。嘗涉迹江皖間。遇異人傳授。居三年。拳術劍術及各器械。無不造其極。歸後入睿王府當差。人多知其有奇技異能。投爲門下受教者絡繹不絕。所教拳術稱爲八卦。其式形皆是河圖洛書之數。其道體。俱是先天後天之理。其用法。乃八八六十四卦之變化而無窮。一部易理。先生方寸之間。體之無遺。是以先生行止坐臥。動作之際。其變化之神妙。非常人所能測也。居嘗跏趺靜坐。値夏日大雨。墻忽傾倒。時先生趺坐於坑貼近此墻。先生並未開目。弟子在側者。見墻倒之時。急注視先生。忽不見。而先生已趺坐於他處之椅上。身上未着點塵。先生又嘗晝寢。時値深秋。弟子以被覆之。輕輕覆於先生身。不意被覆於床。存者僅床與被。而先生不見矣。驚而返顧。則先生端坐於臨牕之一椅。謂其人曰。何不言耶。使我一驚。蓋先生之靈機至是。已臻不見不聞。卽可知覺之境。故臨不測之險。其變化之神妙。有如此者。中庸云。至誠之道。可以前知。卽此義也。年八十餘歲。端坐而逝。弟子尹福程廷華等。葬於東直門外榛椒樹東北。紅橋大道旁。諸門弟子建碑。以誌其行焉。

程廷華先生。直隸深縣人。居北京花市大街四條。以眼鏡爲業。性喜武術。未得門徑。後經人介紹。拜董海川先生爲師。所學之拳。名爲遊身八卦連環掌。自受傳後。習練數年。得其精微。名聲大振。人稱之爲眼鏡程。無人不知之也。同道之人。來比較者甚多。無不敗於先生之手者。因此招人之忌。一日晚先生由前門返舖中。行至蘆草園。正走時。忽聞後有脚步聲甚急。先生方一回頭。見尾隨之人。手使砍刀一把。光閃曜目。正望著先生之頭劈下。先生隨即將身往下一縮。倏忽越出七八尺。其刀落空。旋即回身。奪其刀。以足踢倒於地。以刀擲之曰。朋友回家。從用工夫。再來可也。不問彼之姓名。徜徉而去。當時有數人親眼見之。在京教授門徒頗多。其子海亭。亦足以發明先生技術之精奧者矣。

## 第三章太極拳家小傳

楊先生字露蟬。直隸廣平府人。喜拳術。得河南懷慶府陳家溝子之指授。遂以太極名于京師。來京教授弟子。故京師之太極拳術。皆先生所傳也。

武先生字禹讓。直隸廣平府人。往河南懷慶府趙堡鎮。陳淸平先生處學習太極拳術。研究數十年。遇敵制勝事蹟最多。郝爲楨先生言之不詳。故未能述之郝先生。諱和字爲楨。直隸廣平永年縣人。受太極拳術於亦畬先生。昔年訪友來北京。經友人介紹。與先生相識。見先生身體魁偉。容貌溫和。言皆中理。身體動止。和順自然。余與先生遂相投契。未幾先生患痢疾甚劇。因初次來京不久朋友甚少。所識者惟同鄉楊建侯先生耳。余遂爲先生請醫服藥。朝夕服侍。月餘而愈。先生呼余曰。吾二人本無至交。萍水相逢。如此相待。實無可報。余曰此事先生不必在心。俗云四海之內皆朋友。况同道乎。先生云。我實心感。欲將我平生所學之拳術。傳與君。願否。余曰。恐求之不得耳。故請先生至家中。余朝夕受先生教授。數月得其大概。後先生返里。在本縣教授門徒頗多。先生壽七十有餘歲而終。其子月如。能傳先生之術。門徒中精先生之武術者亦不少矣。

## 第四章形意拳

一則

郭雲深先生云。形意拳術有三層道理。有三步工夫。有三種練法。

三層道理

一練精化氣。 二練氣化神。 三練神還虛。（練之以變化人之氣質復其本然之眞也）

三步工夫

一易骨。練之以築其基。以壯其體。骨體堅如鐵石。而形式氣質威嚴狀似泰山。

一易筋。練之以騰其膜。以長其筋。（俗云筋長力大）其勁縱橫聯絡。生長而無窮也。

三洗髓。練之以淸虛其內。以輕鬆其體。內中淸虛之象。神氣運用。圓活無滯。身體動轉。其輕如羽。（拳經云。三回九轉是一式。即此意義也。)

三種練法

一明勁。練之總以規矩不可易。身體動轉要和順而不可乖戾。手足起落要整齊。而不可散亂。拳經云。方者以正其中。即此意也。

二暗勁。練之神氣要舒展而不可拘。運用圓通活潑而不可滯。拳經云圓者以應其外。即此意也。

三化勁。練之周身四肢動轉。起落進退皆不可着力。專以神意運用之。雖是神意運用。惟形式規矩仍如前二種不可改移。雖然周身動轉不着力。亦不能全不着力。總在神意之貫通耳。拳經云。三回九轉是一式。亦即此意義也。

## 一節 明勁

明勁者。卽拳之剛勁也。易骨者卽煉精化氣易骨之道也。因人身中先天之氣與後天之氣不合。體質不堅。故發明其道。大凡人之初生性無不善。體無不健。根無不固。純是先天。以後知識一開。靈竅一閉。先天不合。陰陽不交。皆是後天血氣用事。故血氣盛行。正氣衰弱。以致身體筋骨不能健壯。故昔達摩大師傳下易筋洗髓二經。習之以強壯人之身體。還其人之初生本來面目。後宋岳武穆王擴充二經之義。作爲三經。易骨易筋洗髓也。將三經又制成拳術。發明此經道理之用。拳經云。靜爲本體。動爲作用。與古之五禽八段練法有體而無用者不同矣。因拳術有無窮之妙用。故先有易骨易筋洗髓。陰陽混成。剛柔悉化。無聲無臭。虛空靈通之全體。所以有其虛空靈通之全體。方有神化不測之妙用。故因此拳是內外一氣。動靜一源。體用一道。所以靜爲本體。動爲作用也。因人爲一小天地。無不與天地之理相合。惟是天地之陰陽變化皆有更易。人之一身。既與天地道理相合。身體虛弱。剛戾之氣。豈不能易乎。故更易之道。弱者易之強。柔者易之剛。悖者易之和。所以三經者。皆是變化人之氣質。以復其初也。易骨者。是拳中之明勁。練精化氣之道也。將人身中散亂之氣。收納於丹田之內。不偏不倚。和而不流。用九要之規模。煅練。練至於六陽純全。剛健之至。即拳中上下相連。手足相顧。內外如一。至此拳中明勁之功。盡易骨之勁。全練精化氣之功亦畢矣。

二節、暗勁

暗勁者。拳中之柔勁也。（柔勁與軟不同。軟中無力。柔非無力也。）即練氣化神。易筋之道也。先練明勁而後練暗勁。即丹道小周天。止火再用大周天功夫之意。明勁停手。即小周天之沐浴也。暗勁手足停而未停。即大周天四正之沐浴也。拳中所用之勁。是將形氣神。（神即意也）合住。兩手往後用力拉回。(內中有縮力)其意如拔鋼絲。兩手前後用勁。左手往前推。右手往回拉。或右手往前推。左手往回拉。其意如撕絲綿。又如兩手拉硬弓。要用力徐徐拉開之意。兩手或右手往外翻橫。左手往裏裹勁。或左手往外翻橫。右手往裏裹勁。如同練鼉形之兩手。或是練連環拳之包裹。拳經云。裹者如包裹之不露。兩手往前推勁。如同推有輪之重物往前推不動之意。又似推動而不動之意。兩足用力。前足落地時。足根先着地。不可有聲。然後再滿足着地。所用之勁。如同手往前往下按物一般。後足用力蹬勁。如同邁大步過水溝之意。拳經云。脚打採意不落空。是前足消息全憑後脚蹬。是後足馬有蹟蹄之功。皆是管兩足之意也。兩足進退明勁暗勁兩段之步法相同。惟是明勁則有聲。暗勁則無聲耳。

三節　化勁

化勁者。即練神還虛。亦謂之洗髓之功夫也。是將暗勁練到至柔至順。謂之柔順之極處。暗勁之終也。丹經云陰陽混成。剛柔悉化。謂之丹熟。柔勁之終。是化勁之始也。所以再加向上工夫。用練神還虛。至形神俱杳。與道合眞。以至於無聲無臭。謂之脫丹矣。拳經謂之拳無拳。意無意。無意之中。是眞意。是謂之化勁。練神還虛。洗髓之工畢矣。化勁者。與練划勁不同。明勁暗勁。亦皆有划勁。划勁是兩手出入起落俱短。亦謂之短勁。如同手往着墻抓去。往下一划。手仍回在自己身上來。故謂之划勁。練化勁者。與前兩步工夫之形式無異。所用之勁不同耳。拳經云。三回九轉是一式。是此意也。三回者。練精化氣。練氣化神。練神還虛。卽明勁暗勁化勁是也。三回者。明暗化勁是一式。九轉者。九轉純陽也。化至虛無而還於純陽。是此理也。所練之時。將手足動作。順其前兩步之形式。皆不要用力。並非頑空不用力。周身內外。全用眞意運用耳。手足動作。所用之力。有而若無。實而若虛。腹內之氣。所用亦不着意。亦非不着意。意在積蓄虛靈之神耳。呼吸似有似無。與丹道工夫。陽生至足採取歸爐。封固停息。沐浴之時。呼吸相同。因此似有而無。皆是眞息。是一神之妙用也。莊子云。眞人之呼吸以踵。卽是此。意非閉氣也。用工練去。不要間斷。練到至虛。身無其身。心無其心。方是形神俱妙。與道合眞之境。此時能與太虛同體矣。以後練虛合道。能至寂然不動。感而遂通。無入而不自得。無往而不得其道。無可無不可也。拳經云。固靈根而動心者。武藝也。養靈根而靜心者。修道也。所以形意拳術。與丹道合而爲一者也。

## 二　則

形意拳起點三體式。兩足要單重。不可雙重。單重者非一足着地。一足懸起。不過前足可虛可實。着重在於後足耳。以後練各形式。亦有雙重之式。雖然是雙重之式。亦不離單重之重心。以至極高極俯極矮極仰之形式。亦總不離三體式單重之中心。故三體式。爲萬形基礎之也。三體式單重者。得其中和之起點。動作靈活。形式一氣。無有間斷耳。雙重三體式者。形式沉重。力氣極大。惟是陰陽不分。乾坤不辨、奇偶不顯。剛柔不判。虛實不明。內開外合。不清。進退起落動作不靈活。所以形意拳三體式。不得其單重之中。和。先後天亦不交。剛多柔少。失却中和。道理亦不明。變化亦不通。自被血氣所拘。拙勁所捆。此皆是被三體式雙重之所拘也。若得着單重三體式中和之道理。以後行之。無論單重雙重各形之式。無可無不可也。

三　則

形意拳術之道。練之極易。亦極難。易者。是拳術之形式。至易至簡。而不繁亂。其拳術之始終。動作運用。皆人之所不慮而知。不學而能者也。周身動作運用。亦皆年常之理。惟人之未學時。手足動作運用。無有規矩。而不能整齊。所教授者。

不過將人之不慮而知。不學而能。平常所運用之形式。入於規矩之中。四肢動作。而不散亂者也。果練之有恆而不間斷。可以至於至善矣。若到至善處。諸形之運用。無不合道矣。以他人觀之。有一動一靜。一言一默之運用。奧妙不測之神氣。然而自己並不知其善於拳術也。因動作運用。皆是平常之道理。無強人之所難。所以拳術練之極易也。中庸云。人莫不飲食也。鮮能知味也。難者是練者厭其拳之形式簡單。而不良於觀。以致半途而廢者有之。或是練者惡其道理平常。而無有奇妙之法則。自己專好剛勁之氣。身外又務奇異之形。故終身練之而不能得着形意拳術中和之道也。因此好高務遠。看理偏僻。所以拳術之道理。得之甚難。中庸云。道不遠人。人之爲道而遠人。即此意義也。

四　則

形意拳術之道無他。神氣二者而已。丹道始終全丈呼吸。起初大小周天。以及還虛之功者皆是呼吸之變化耳。拳術之道亦然。惟有煅煉形體與筋骨之功。丹道是靜中求動、動極而復靜也。拳術是動中求靜。靜極而復動也。其初練之似異。以至還虛。則同、形意拳經云固靈根而經心動敵將也。養靈根而將心靜。修道也。所以形意拳之道。卽丹道之學也。丹道有三易。煉精化氣。煉氣化神。煉神還虛。拳術亦有三易、易骨易筋洗髓。三易卽拳中明勁暗勁化勁也。練至拳無拳。意無意。無意之中。是眞意。亦與丹道煉虛合道相合也、丹道有最初還虛之功。以至虛極靜篤之時。下元眞陽發動。卽速回光返照。凝神入氣穴。息息歸根。神氣未交之時。存神用息。緜緜若存。念茲在茲。此武火之謂也。至神氣已交又當忘息。以致採取歸爐。封固停息沐浴。起火進退升降歸根。俟動而復煉。煉至不動。爲限數足滿。止火。謂之坎離交妒。國爲小周天。以至大周天之工夫。無非自無而生。有由微而至著。由小而至大、由虛而積累。皆呼吸火候之變化。文武剛柔。隨時消息。此皆是順中用逆。逆中行順。用其無過不及中和之道也。此不過略言丹道之概耳。丹道與拳術並行不悖。故形意拳術。非粗率之武藝。余恐後來練形意拳術之人。只用其後天血氣之力。不知有先天眞陽之氣。故發明形意拳術之道。只此神氣二者而已。故此先言丹道之大概。後再論拳術之詳情。

## 五　則

郭雲深先生言。練形意拳術。有三層之呼吸。

第一層練拳術之呼吸。將舌捲回頂住上腭。口似開非開。似合非合。呼吸任其自然。不可着意於呼吸。因手足動作合於規矩。是爲調息之法則。亦卽練精化氣之工夫也。

第二層練拳術之呼吸。口之開合。舌頂上腭。等規則照前。惟呼吸與前一層不同。前者手足動作。是調息之法則。此是息調也。前者口鼻之呼吸。不過借此以通乎內外也。此二層之呼吸。著意於丹田之內呼吸也。又名胎息。是爲練氣化神之理也。

第三層練拳術之呼吸。與上兩層之意又不同。前一層是明勁。有形於外。二層是暗勁。有形於內。此呼吸雖有而若無。勿忘勿助之意思。即是神化之妙用也。心中空空洞洞。不有不無。非有非無。是爲無聲無臭。還虛之道也。此三種呼吸。爲練拳術始終本末之次序。即一氣貫通之理。自有而化無之道也。

## 六則

人未練拳術之先。手足動作。順其後天自然之性。由壯而老。以至于死。通家逆運先天。轉乾坤。扭氣機。以求長生之術。拳術亦然。起點從平常之自然之道逆轉。其機由靜而動。再由動而靜。成爲三體式。其姿式。兩足要前虛後實。不俯不仰。不左斜。不右歪。心中要虛空。平靜無物。一毫之血氣。不能加於其內。要純任自然虛靈之本體。由着本體而再萌動練去。是爲拳中純任自然之眞勁。亦謂人之本性。又謂之丹道最初還虛之理。亦謂之明善復初之道。其三體式中之靈妙。非有眞傳不能知也。內中之意思。猶丹道之點玄關大學之言明德。孟子所謂養浩然之氣。又與河圖中五之一點。太極先天之氣相合也。其姿式之中。非身體兩腿站均當中之中也。其中是用規矩之法則。縮回身中散亂馳外之靈氣。返歸於內。正氣復初。血氣自然不加於其內。心中虛空。是之謂中。亦謂之道心。因此再動。丹書云。靜則爲性。動則爲意。妙用則爲神。所以拳術再動練去謂之先天之眞意。則身體手足動作。卽有形之物。謂之後天。以後天合着規矩法則。形容先天之眞意。自最初還虛。以至末後還虛。循環無端之理。無聲無臭之德。此皆名爲形意拳之道也。其拳術最初積蓄之眞意與氣。以致滿足。中立而不倚。和而不流。無形無相。此謂拳中之內勁也。（內家拳術之名即此理也）其拳中之內勁。最初練之人。不知其所以然之理。因其理最微妙。不能不詳言之。免後學入於岐途。初學入門有三害九要之規矩。三害莫犯。九要不失其理。（八卦拳學詳之矣）手足動作。合於規矩。不失三體式之本體。謂之調息。練時口要似開非開。似合非合。純任自然。舌頂上腭。要鼻孔出氣。平常不練時。以至方練完收式時。口要閉。不可開。要時時令鼻孔出氣。說話。吃飯。喝茶時。可開口。除此之外。總要舌頂上腭。閉口。令鼻孔出氣。謹要。至於睡臥時。亦是如此。練至手足相合。起落進退如一。謂之息調。手足動作。要合不於規矩。上下不齊。進退步法錯亂。牽動呼吸之氣不均。出氣甚粗。以致胸間發悶。皆是起落進退。手足步法。不合規矩之故也。此謂之息不調。因息不調。拳法身體不能順也。拳中之內勁。是將人之散亂於外之神氣。用拳中之規矩。手足身體動作順中用逆。縮回於丹田之內。與丹田之元氣相交自無而有。自微而著。自虛而實。皆是漸漸積蓄而成。此謂拳之內勁也。丹書云。以凡人之呼吸。尋眞人之呼處。莊子云眞人呼吸以踵。亦是此意也。拳術調呼吸從後天陰氣所積若致小腹堅硬如石此乃後天之氣勉強積蓄而有也。總要呼吸純任自然。用眞意之元神。引之於丹田。腹雖實而若虛。有而若無。老子云綿綿若存。又云虛其心而靈性不昧。振道心。正氣常存。亦此意也。此理卽拳中內勁之意義也。

七　則

形意拳之用法。有三層。有有形有像之用。有有名有相無迹之用。有有聲有名無形之用。有無形無相無聲無臭之用。拳經云。起如鋼銼。起者去也。落如鈎竿。落者回也。未起如摘子。未落如墜子。起如箭。落如風。追風趕月不放鬆。起如風。落如箭。打倒還嫌慢。足打七分手打三。五行四稍要合。全氣連心。意隨時用。硬打硬進無遮攔。打人如走路。看人如蒿草。胆上如風響。起落似箭鑽。進步不勝。必有寒食之心。此是初步明勁。有形有相之用也。到暗勁之時。用法更妙。起似伏龍登天。落如霹雷擊地。起無形。落無踪。起意好似捲地風。起不起。何用再起。落不落。何用再落。低之中望爲高。高之中望爲低。打起落如水之翻浪。不翻不躦。一寸爲先。脚打七分手打三。五行四稍要合全。氣連心意隨時用。打破身式無遮攔。此是二步暗勁形迹有無之用也。拳無拳。意無意。無意之中是眞意。拳打三節不見形。如見形影不爲能。隨時而發。一言一默。一舉一動。行止坐臥。以致飲食茶水之間。皆是用。或有人處。或無人處。無處不是用。所以無入而不自得。無往而不得其道。以致寂然不動。感而遂通也。此皆是化勁神化之用也。然而所用之虛實奇正。亦不可專有意。用於奇正虛實。虛者並非專用虛。於彼己手在彼手之上。用勁拉回。如落鈎竿。謂之實。己手在彼手之下。亦用勁拉回。彼之手挨不着我的手。謂之虛。並非專有意於虛實。是在彼之形式感觸耳。奇正之理亦然。奇無不正。正無不奇。奇中有正。正中有奇。奇正之變。如循環之無端。所用不窮也。拳經云。拳去不空回。空回總不奇。是此意也。

## 八　則

形意拳術。明勁是小學工夫。進退起落。左轉右旋。形式有間斷。故謂之小學。暗勁是大學之道。上下相連。手足相顧。內外如一。循環無端。形式無有間斷。故謂之大學。此喻是發明其拳所以然之理也。論語云。一以貫之。此拳亦是求一以貫之道也。陰陽混成。剛柔相合。內外如一謂之化勁。用神化去。至於無聲無臭之德也。孟子云。大而化之之謂聖。聖而不可知之之謂神。丹書云。形神具杳。乃與道合眞之境。拳經云。拳無拳。意無意。無意之中。是眞意。如此者。不見而章。不動而變。無爲而成。寂然不動。感而遂通也。老子云。得其一而萬事畢。人得其一謂之大拳中內外如一之勁用之於敵。當剛則剛。當柔則柔。飛騰變化。無入而不自得。亦無可無不可也。此之謂一以貫之。一之爲用。雖然純熟。總是有一之形迹也。尚未到至妙處。因此要將一化去。化到至虛無之境。謂之至誠至虛至空也。如此大而化之之謂聖。聖而不可知之之謂神之道理得矣。

## 九　則

拳術之道。要自己煆練身體。以却病延年。無大難法。若與人相較。則非易事。第一存心謹慎。要知己知彼。不可驕矜。驕矜必敗。若相識之人。久在一處。所練何拳。藝之深淺。彼此皆知。或喜用脚。或善用手。皆知其大概。誰勝誰負。尚不易言若與不相識之人。初次見面。彼此不知所練何種拳術。所用何法。若一交手。其藝淺者。自立時相形見絀。若皆是明手。兩人相較。則頗不易言勝。所宜知者。一覰面先察其人。精神是否虛靈。氣質是否雄厚。身軀是否活潑。再察其言論。或謙或矜。其所言與其人之神氣。形體動作。是否相符。觀此三者。彼之藝能。知其大概矣。及相較之時。或彼先動。或己先動。務要辨地勢之遠近險隘廣狹死生。若二人相離極近。彼或發拳或發足。皆能傷及吾身。則當如拳經云。眼要毒手要奸。（奸即巧也）脚踏中門雖裹躦眼有監察之精手有撥轉之能。足有行程之功。兩肘不離助。兩手不離心。出洞入洞緊隨身。乘其無備而攻之。由其不意而出之。此是近地以速之意也、兩人相離之地遠。或三四步或五六步不等。不可直上。恐彼以逸待勞。不等己發拳。而彼先發之矣。所以方動之時。不要將神氣顯露於外。似無意之情形。緩緩走至彼相近處。相機而用。彼動機方露。己卽速撲上去。或掌或拳。隨左打左。隨右打右。彼之剛柔。己之進退起落變化。總相機而行之。此謂遠地以緩也。己所立之地勢。有利不利。亦得因敵人而用之。不可拘着。程廷華先生亦云。與彼相較之時。看彼之剛柔。或力大或奸巧。彼剛吾柔彼柔吾剛。彼高吾低彼低吾高。彼長吾短。彼短吾長。彼開吾合。彼合吾開。或吾忽開忽合。忽剛忽柔。忽上忽下。忽短忽長忽來忽去不可拘使成法。須相敵之情形而行之。雖不能取勝于敵。亦不能驟然敗於敵也。總以謹慎爲要

## 十則

拳經。云上下相連。內外合一。俗云上下是頭足也。亦云手足也。按拳中道理言之是上呼吸之氣。與下呼吸之氣相接也。此是上下相連。心腎相交也。內外合一者。是心中神意下照於海底。腹內靜極而動。海底之氣。微微自下而上。與神意相交歸於丹田之。中運貫於周身暢達於四肢融融和。和如此方是上下相連。手足自相然。顧合內外而爲一者也。

## 十一則

練拳術不可固執不所。若專以求力。卽被被力拘。專以求氣。卽被氣所枸若專

以求沉重。即爲沉重所捆墜。若專以求輕浮。神氣則被輕浮所散。所以然者。練之形式順者。自有力。內裹中和者。自生氣。神意歸於丹田者。身自然重如泰山。將神氣合一化成虛空者。自然身輕如羽。故此不可以專求。雖然求之有所得焉。亦是有若無實若虛勿忘勿助不勉而中不思而得。從容中道而已

十二則

形意拳術之橫拳。有先天之橫。有後天之橫。有一行之橫。先天之橫者。由靜而動。爲無形之橫拳也。橫者中也。易云黃中通理。正位居體。即此意也。拳經云。起無形。起爲橫。皆是也。（此起字是內中之起。自虛無而生有。眞意發萌之時。在拳中謂之橫。亦謂之起。）此橫有名無形。爲諸形之母也。萬物皆含育於其中矣。其橫則爲拳中之太極也。後天之橫者。是拳中外形手足。以動即名爲橫也。此橫有名有式。無有橫之相也。因頭手足。（肩肘〇膝胯名七拳）外形七拳。以動即名爲橫。亦爲諸式之幹也。萬法亦皆生於其內也。

十三則

形意拳術。頭層明練。謂之練精化氣。爲丹道中之武火也。第二層暗勁。謂之練氣化神。爲丹道中之文火也。二層化勁。謂之練神還虛。爲丹道中火候純也。火候純而內外一氣成矣再練亦無勁。亦無火。謂之練虛合道。以致行止坐臥。一言一默。無往而不合其道也。拳經云。拳無拳。意無意。無意之中是眞意。至此無聲無臭之德至矣。先人詩曰道本自然一氣遊。空空靜靜最難求。得來萬法皆無用。身形應當似水流。

十四則

拳意之道。大概皆是河洛之理。以之取象命名。數理兼該。順其人動之作之自然。制成法則。而人身體力行之。古人云。天有八風。易有八卦。人有八脉。拳有八勢。是以拳術有八卦之變化。八卦者。有圓之象焉。天有九天。星有九野。地有九泉。人有九竅九數。拳有九宮。故拳術有九宮之方位。九宮者。有方之義焉。古人以九府而作圜法。以九室而作明堂。以九區而作貢賦。以九軍而作陣法。以九竅九數。（九數者卽九節也頭爲稍節心爲中節丹田爲根節手爲稍節肘爲中節肩爲根節足爲稍節膝爲中節〇爲根節三三共九節也）而作拳術。無非用九。其理亦妙矣。河之圖。洛之書。皆出於天地自然之數。禹之範。大撓之歷。皆聖人得於天地之心法。余蒙老農先生所授之九宮圖。其理亦出於此。而運用之神妙。變化莫測。此圖之道。夫婦之愚。可以與知與能。及其至也。雖聖人亦有所不知不能矣。其圖之形式。是飛九宮之道。一至九。九還一之理。用竿九根布之四正四根。四隅四根。當中一根。竿不拘粗細。起初練之地方要寬大。竿相離要遠。大約或一丈之方形。或一丈有餘。或兩丈。不拘尺寸。練之已熟。漸漸而縮小。縮至兩竿相離之遠近。僅能容身穿行往來。形如流水。旋轉自如。而不礙所立之竿。繞轉之形式。用十二形。或如鷂子入林翻身之巧。或如蛇撥草入穴之妙。

或如猿猴蹤跳之靈活。各形之巧妙。無所不有也。此圖之効力。不會拳術者。按。法走之可以消食。血脉流通。若練拳術而步法不活動者。走之可以能活動。練拳術身體發拘者。走之身體可以能靈通。練拳術心中固執者。走之可以能靈妙。無論男女老少皆可行之。可以却病延年。強健身體。等等妙術。不可言宣。拳經云。打拳如走路。看人如蒿草。武藝都道無正經。任意變化是無窮。豈知吾得嬰兒玩。打法天下是眞形。三回九轉是一式之。理亦皆在其中矣。此圖明數學者。能曉此圖之理。練八卦拳者。能通此圖之道也。此圖亦可作爲遊戲運動。走練之時。舌頂上腭。不會練拳術者。行走之時兩手曲伸。可以隨便。要會拳術者。按自己所會之法。則運用可也。無論如何運動。左旋右轉。兩手身體。不能動着所立之竿爲要。此圖不只運動身體已也。而劍術之法。亦含藏於其中矣。此九根竿之高矮。總要比人略高。可以九個泥墪。或木墪。將竿揷在內。可以移動。練用時可分布九宮。不練時可收在一處。若地基方便。不動亦可。若實在無有竿之時。磚石分布九宮亦可。若無磚石畫九個小圈走之亦無不可。總而言之總是有竿練之爲最妙。此法走練起初按一二三四五六七八九之路。返之九八七六五四三二一。此圖外四正四隅八根竿。比喻八卦。當中一根。又共比喻九個門。要練純熟無論何門亦可以起點。要之歸原不能離開中門。卽中五宮也走之。按一至二二至三。至九返之九至八。八至七又還於一之數。此圖一圈一根竿也。一至九九返一。卽所行之路也。名爲飛九宮也。亦名陰八卦也。河圖之理藏之於內。洛書之道形之於外也。所以拳術之道體用具備。數理兼該性命雙修。乾坤相交合內外而爲一者也。走練此圖之意。九竿如同九人。如一人之敵九。左右旋轉。曲伸往來。飛躍變化。閃展騰挪。其中之法則。按着規矩。其中之妙用亦得要自己悟會耳。其圖之道亦和於乾坤二卦之理。六十四卦之式。皆含在其中矣。在人賢者識其大者。不賢者識其小者。得之莫不有拳術奧妙之道焉。

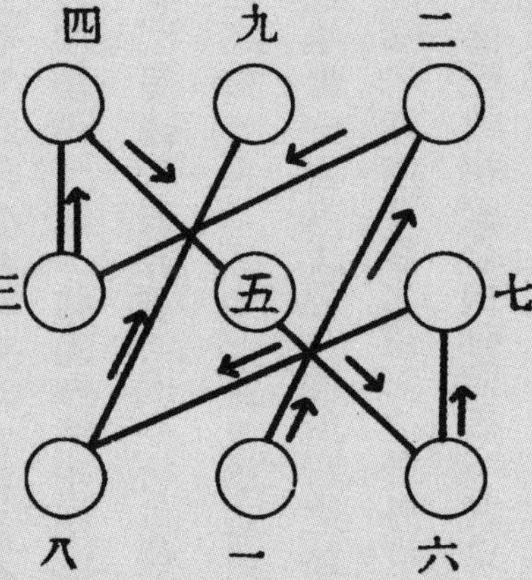


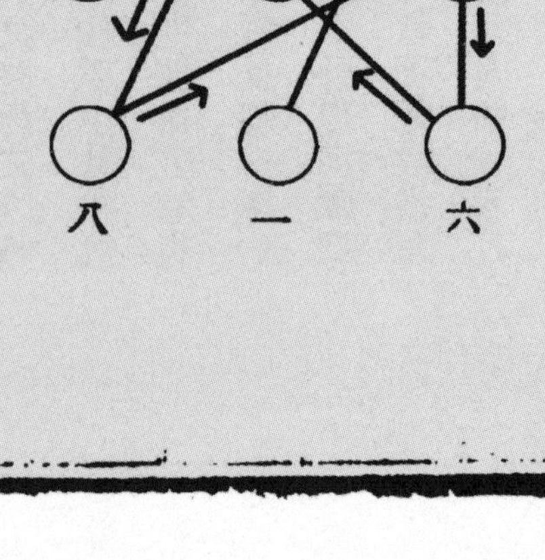


## 一則

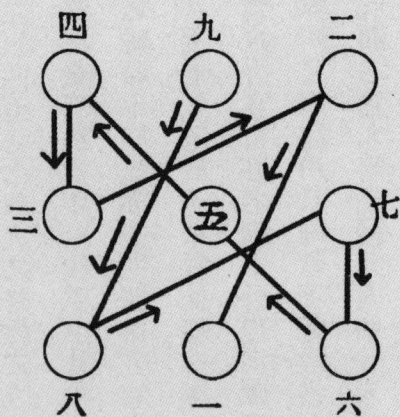

白西園先生云。練形意拳之道。實是却病延年。修道之學也。余自幼年行醫。今

年近七旬矣。身體動作輕靈。仍似當年強壯之時也。並無服過參茸保養之物。此拳之道。養氣修身之理。實有確據。眞有如服仙丹之效驗也。惟練拳易得道難。得道易。養道尤難。所以練拳術第一要得眞傳。將拳內所練之規矩。要知得的確。按次序而練之。第二要眞愛惜。第三要有恆心。作爲自已終身修養之功課也。除此三者之外。雖然講練。古人云。心不在焉。視而不見。聽而不聞。食而不知其味。就是終身不能有得也。就是至誠有恆心所練之道理。雖少有得。爲亦不能自驕。所練之形式道理。亦要時常求老師。或諸位老先生們看視。古人云。人非聖賢。誰能無過。若以驕。素日所得之道理。亦時常失去。道理以失。拳術就生出無數之病來。（即拳術之病非人所得吃藥之病也）若是明顯之病。還可容易更改。老師工夫大小。道理深淺。可以更正也。若是暗藏錯綜之病。非得老師道理極深。經驗頗富。不能治此病也。錯綜之病。頭上之病不在頭。脚上之病不在脚。身內之病不在內。身外之病不在外。此是錯綜之病也。暗藏之病。若隱若現。若有若無。此病於平常所練之人。亦看不出有病。來自己覺着亦無毛病。心想自己所練的道理亦到純熟矣。豈不知自己之病入之更深矣。非得洞明其理。深達其道者。不能更改此樣病也。若不然。就是晝夜習練。終身不能入於正道矣。此病謂之俗自然勁也。與寫字用工入了俗派。始終不能長進之道理相同也。所以練拳術者。練一身極好之技術。與人相較。亦極其勇敢。到容易練。十人之中可以練成七八個矣。若能教育人者。再自己工夫極純。身體動作極其和順。折理亦極其明詳。令人容易領會。可以作後學之表率。如此人者。十人之中難得一二人矣。練拳術之道理。神氣貫通。形質和順。剛柔曲折。法度長短。與曾文正公談書法會乾坤二卦之理相同也。

一則

劉奇蘭先生云。形意拳術之道。體用莫分。自己練者爲體。行之於彼爲用。自己練時。眼不可散亂。將視一極點處。或看自己之手。將神氣定住。內外合一。不可移動。要用之於彼。或看彼上之兩眼。或看彼之中心。或看彼下之兩足。不要站定成式。不可專用成法。或掌或拳。望着就使。起落進退、變化不窮。是用智而取勝於敵也。若用成法。即能勝於人。亦是一時之僥倖耳。所應曉者。須固住自己神氣。不使散亂。此謂無敵於天下也。

## 二則

形意拳經云。養靈根而靜心者。修道也。固靈根而動心者。敵將也。敵將之用者。起如鋼銼。落如鈎竿。起似伏龍登天。落如霹雷擊地。起無形。落無蹤。起好似箭捲地風。束身而起。長身而落。起如箭。落如風。追風趕月不放鬆。起如風。落如箭。打倒還嫌慢。打人如走路。看人如蒿草。胆上如風響。起落似箭鑽。遇敵要取勝。

四稍具要齊。是內外誠實如一也。進步不勝。必有胆寒之心也此是固靈根而動心者。敵將所用之法也

三 則

道藝之用者。心中空空洞洞。不勉而中。不思而得。從容中道。而時出之。拳無拳。意無意。無意之中是眞意。心無其心心空也。身無其身身空也。古人云所謂空而不空。不空而空。是謂眞空。雖空乃至實至誠也。忽然有敵人來擊。心中並非有意打他。無意即無火也 隨彼意而應之。拳經云。靜爲本體。動爲作用。即是寂然不動。感而遂通。無可無不可也。此是養靈根而靜心者所用之法也。夫練拳至無拳無意之境。乃能與太虛同體。故用之奧妙而不可測。然能至是者鮮矣

一 則

宋世榮先生云。形意拳之道。是先將拳術已成之着法。玩而求之。而有得之於

心爲。或吾胸中有千萬法可也。或吾胸中渾渾淪淪。無一着法亦可也無一法者。是一氣之合也。以致於應用之時。無可無不可也。有千萬法者。是一氣之流行也。應敵之時。當剛則剛。當柔則柔。起落進退變化。皆可因敵而用之也。譬如千萬法者。是一形一着法也。一着法之中。亦皆能生生不已也。譬如練蛇形。蛇有撥草之精。至於蛇之盤旋曲伸。剛柔靈妙等式。皆伊之性能也。兵法云。霹如常山蛇陣式。擊首則尾應。擊尾則首應。擊其中則首尾皆應。所以練一形之中。將伊之性能。格物到至善處。用之於敵。可以循環無端。變化無窮。故能時措之宜也。一形之能力如此。十二形之能力皆如是也。內中之道理。物之伸者。是吾拳之長勁也。物之曲者。是吾拳之短勁也。亦吾拳之划勁也。物之曲曲灣轉者。是吾拳之柔勁也。物之往前直去猛快者。是吾拳之剛勁也。雖然一物之性能剛柔曲直。縱橫變化。靈活巧妙。人有所不能及也。所以練形意拳術者。是格漸十二形之性能。而得之於心。是能盡物之性也。亦是盡己之性也。因此練形意拳者。是效法天地化育萬物之道也。此理存之於內而爲德。用之於外而爲道也。又內勁者內爲天德。外法者外爲王道。所以此拳之用。用能以無可無不可也。

## 二　則

形意拳術、有道藝。武藝之分。有三體式。單重。雙重之別。練武藝者。是雙重之姿式。重心在於兩腿之間。全身用力。清濁不分。先後天不辨。用後天之意。引呼吸之氣。積蓄於丹田之內。其堅如鐵石。周身沉重。站立如同泰山一般。若與他人相較。不怕足踢手擊。拳經云。足打七分手打三。五行四梢要合全。氣連心意隨時用。硬打硬進無遮攔。此謂之濁源。所以爲敵將之武藝也。若練到至善處。亦可以無敵於天下也。練道藝者。是三體式。單重無姿式。前虛後實。重心在於後足。前足亦可虛。亦可實。心中不用力。先要虛其心。意思與丹道相合。丹書云。靜坐要最初還虛。不還虛。不能見本性。不見本性。用工皆是濁源。並非先天之眞性也。拳術之理亦然。所以亦要最初還虛。不用後天之心意。亦並非全然不用。要全不用。成爲頑空矣。所以用勁者。非用後天之拙力。皆是規矩中之用力耳。還虛者。丹書云。中者虛空之性體也。執中者。還虛之功用也。是故形意拳術起點。有無極。太極。三體之式。其理是最初還之功用也。丹書云。道自虛無生一氣。便從一氣產陰陽。陰陽再合成三體。三體重生萬物。張是此意也。三體者。在身體外爲頭手足也。內爲上中下三田也。在拳中。形意八卦太極三派之一體也。雖分三體之名。統體一陰陽也。陰歸總一太極也。卽一氣也。亦卽形意拳中起點無形之橫拳也。此橫拳者。是人本來之眞心。空空洞洞。不掛著一毫之拙力。至虛至無。卽太極也。所謂無名天地之始。但此虛無太極。不是死的。乃是活的。其中有一點生機藏焉。此機名曰。先天眞一之氣。爲人性命之根。造化之源。生死之本也。此虛無中含此一氣。不有不無。非有非無。非色非空。活活潑潑的。又曰眞空。眞空者。空而不空。不空而空。所謂有名萬物之母。虛無中既有一點生機在內。是太極含一氣。一自虛無兆質矣。此太極含一氣。是丹書所說的靜極而動。是虛極靜篤時。海底中有一點生機發動也。邵子云。一陽初發動。萬物未生時也。在拳術中虛極時。橫拳圓滿無虧。內中有一點靈機生焉。丹書云。一氣既兆質。不能無動靜。動爲陽。靜爲陰。是動靜既生於一氣。兩儀因此一氣開根也。動極而靜。靜極而動。劈崩躦炮起躦落翻。精氣神卽於此而寓之矣。故此三體式內之一點生候發動。而能至於無窮。所以謂之道藝也。

## 三　則

靜坐工夫。以呼吸調息。練拳術以手足動作爲調息。起落進退。皆合規矩。手足動作。亦具和順。內外神形相合。謂之息調。以身體動作旋轉。縱橫往來。無有停滯。一氣流行。循環無端。謂之停息。亦謂之脫胎神化也。雖然一是動中求靜。一是靜中求動。二者似乎不同。其實內中之道理則一也。

一　則

車毅齋先生云。形意拳之道。合於中庸之道也。其道中正。廣大至易至簡。不偏不倚。和而不流。包羅萬象。體物不遺。放之則彌六合。卷之則退藏於密。其味無窮。皆實學也。惟是起初所學。先要學一派。一派之中。亦得專一形而學之。學而時習之。習之已熟。然後再學他形。各形純熟。再貫串統一而習之。習之極熟。全體各形之式。一形如一手之式。一手如一意之動。一意如同自虛空發出。所以練拳學者。自虛無而起。自虛無而還也。到此時。形意也。八卦也。太極也。諸形皆無。萬象皆空。混混淪淪。一渾氣然。何有太極。何有形意。何有八卦也。所以練拳術不在形式。只在神氣圓滿無虧而已。神氣圓滿。形式雖方。而亦能活動無滯。神氣不足。就是形式雖圓。動作亦不能靈通也。拳經云。尙德不尙力。意在蓄神耳。用神意合丹田。先天眞陽之氣、運化於周身。無微不至。以至於應用。無處不有。無時不然。所謂物物一太極。物物一陰陽也。中庸云。鬼神之爲德。其盛矣乎。視之而弗見。聽之而弗聞。體物而不可遺。亦是此拳之意義也。所以練拳術者。不可守定成規成法。而應用之。成法者。是初入門敎人之規則。可以變化人之氣質。開人之智識。明人之心性。是化除後天之氣質。以復其先天之氣也。以至虛無之時。無所謂體。無所謂用。拳經云。靜爲本體。動爲作用。是體用一源也。體用分言之。以體言。行止坐臥。一言一默。無往而不得其道也。以用言之。無可無不可也。余幼年間血氣盛足。力量正大。法術記的頗多。用的亦熟。亦快。每逢與人相比較之時。觀被之形式。可以用某種手法正合宜。技術淺者。占人一氣之先。往往勝人。遇着技術深者。觀其身式。用某種手法亦正合宜。一到彼之身邊。彼卽隨式而變矣。自己的舊力未完。新力未生。往往再想變換手法。有來不及處。一時要進退不靈活。就敗於彼矣。以後用力之久而一旦豁然貫通。將體式法。身全都脫去。始悟前者所練體式。皆是血氣所用之法。術乃是成規。先前用法。中間皆有間斷。不能連手變化。皆因是後天用事。不得中和之故也。昔年有一某先生。亦是練拳之人。在余處閒談。彼憑着血氣力足。不明此拳之道理。暗中有不服之意。余此時正洗面。且吾洗面之姿式。皆用騎馬式。並未注意於彼。不料彼要取玩笑。起身用脚。望着余之後腰。用脚踢去。彼足方到予之身邊。似挨未挨之時。予並未預料。譬如靜坐工夫。丹田之氣始動。心中之神意知覺。卽速又望北接渡也。此時物到神知。予神形合一。身子一起。覺腰下有物捵出。回觀則彼跌出一丈有餘。平身躺在地下。予先何從知彼之來。又無從知以何法應之。此乃拳術無意中。抖擻之神力也。至哉信乎。拳經云。拳無拳。意無意。無意之中。是眞意也。至此拳術。無形無相無我無他。只有一神之靈光。奧妙不測耳。拳經云。混元一氣吾道成。道成莫外五眞形。眞形內藏眞精神。神藏氣內丹道成。如問眞形須求眞。要知眞形合眞相。眞相合來有眞訣。眞訣合道得徹靈。養靈根而動心者。敵將也。養靈根而靜心者。修道也。武藝雖眞竅不眞。費盡心機枉勞。神祖師留下眞妙訣。知者傳授要擇人。

一則

張樹德先生云。形意拳之道。不言器械。予初練之時。亦只疑無有槍刀劍術之類。予練槍法數十年。訪友數省。相遇名家。亦有數十餘名。所練門派不同。亦各有所長。予自是而後。晝夜勤習。方得其槍中之奧妙。昔年用槍。總以爲自己身手快利。步法活動。用法多巧。然而與人相較。往往被人所制。後始知不在乎形式法術。有身如無身。有槍如無槍。運用只在一心耳。心即槍槍即心也。槍分三節八楞。用眼視定彼之形式。上中下三路。或稍節中節根節。心一動而手足與槍合一。似蛟龍出水一般。直到彼身。彼即敗矣。方知手足動作。教練純熟。不令而行也。予自練形意拳以來。朝夕習練將道理得之於身心。而又知行合一。故同一長短之槍。已覺自己之槍。昔用之似短。今用之則長。更覺善用者不在槍之形式長短。全在拳中神意之妙用也。又方知拳術即劍術槍法。劍術槍法亦即拳術也。拳經云。心爲元帥。眼爲先鋒。手足爲五營四哨。以拳爲拳。以拳爲槍。槍扎如射箭。即此意也。故此始悟形意拳術。不言槍劍。因其道理中和。內外如一。體物而不遺。無往而不得其道也。

一則

劉曉蘭先生云。形意拳之道無他。不過變化人之氣質。得其中和而已。從一氣而分陰陽。從陰陽而分五行。從五行而還一氣。十二形之理。亦從一氣陰陽五行變化而生也。朱子云。天以陰陽五行化生萬物。氣以成形。而理卽數焉。卽此意也。余從幼年練八極拳。工夫頗深。拳中應用之法術。如擺肘定肘擠肘挎肘等等之著法。亦極其純熟。與人相較。往往勝人。其後遇一能手。身軀靈變。或離或合。則吾法無所施。往往拘守成法而不能變。尙疑爲自己工夫不純之過也。其後改練形意拳。習五行生尅。應用之法則。如劈拳能破崩拳。以金尅木。鑽拳能破砲拳。以水尅火。習至數十年。方悟所得之道。知行合一之理。心中極其虛靈。身形亦極其和順。內外如一。又知五行拳互相生尅。金尅木。木亦能尅金。金生水。水亦能生金。古人云。互相遞爲子孫之意也。以前所用之法則。而時應用。無不隨時措之宜也。亦無入而不自得也。因此始知形意拳。是個中和之體。萬物皆涵育於其中矣。

一則

李鏡齋先生言。常有練拳術者。多有體用不合之情形。每見所練之體式。工夫極其純熟。氣力亦極大。然而所用之法則。常有與體式相違者。皆因是所練之體中形式不順。身心不合。則有悖戾之氣也。譬如儒家讀書。讀的極熟。看理亦極深。惟是所作出之文章。常有不順。亦是伊所看書之理則有悖謬之處耶。雖然文武不同道。其理則一也。

一問

李存義先生言。拳經云。靜爲本體。動爲作用。寂然不動。感而遂通。是化勁練神還虛之用也。明暗勁之體用。是將周身四肢鬆開。神氣縮回而沉於丹田。內外合成一氣。再將兩目視定彼之兩目。或四肢。自己不動而爲體也。若是發動。剛柔曲直。縱橫圜研。虛實之勁。起落進退。閃展伸縮。變化之法。此皆爲用也。此是與人相較之時。分折體用之意義也。若論形意拳本旨之體用。是自己練蹚子爲之體。與人相較之時。按練時而應之爲之用也。虛實變化不自專用。因彼之所發之形式。而生之也。

## 二　則

余練習拳學。一生不知用奸詐之心。先師亦常云兵不厭詐。自己雖不用奸詐。然而不可不防他人。終身未嘗有意一次用奸詐之勝人。皆以實在功夫也。若以奸詐勝人。彼未必肯心服也。奸詐心有何益哉。與人相較。總是光明正大。不能暗藏奸心。或是勝人。或是敗於人。心中自然明曉。皆能於道理有益也。雖然奸詐自己不用。亦不可不防。惟是彼之道理。剛柔虛實巧拙不可不察也。（此六字是道理中之變化也奸詐者不在道理之內用好言語將人暗中穩住用出其不意打人也）剛者有明剛。有暗剛。柔者有明柔有暗柔也明剛者。未與人交手時。周身動作。神氣皆露於外。若是相較。彼一用力抓住吾手。如同鋼鈎一般。氣力似透於骨。自覺身體如同被人捆住一般。此是明剛中之內勁也。暗剛者與人相較。動作如平常起落動作。亦極和順。兩手相交。彼之手指軟似棉。用意一抓。神氣不只透於骨髓。而且牽連心中。如同觸電一般。此是暗剛中之內勁也。明柔者視此人之形式動作。毫無氣力。若是知者視之。雖身體柔軟無有氣力。然而身體作動。身輕如羽。內外如一。神氣周身並無一毫散亂之處。與彼交手時。抓之似有。再用手或打或撞。而又似無。此人又毫不用意於己。此是明柔中之內勁也。暗柔者視之神氣威嚴。如同泰山。若與人相較。兩手相交。其轉動如鋼球。手方到此人之身。似硬。一用力打去。則彼身中又極靈活。手如同鰾膠相似。胳膊如同鋼絲條一般。能將人以黏住。或纏住。自己覺着諸方法不能得手。此人又無有一時格外用力。總是一氣流行。此是暗柔中之內勁也。此是余與人道藝相交。兩人相較之經驗也。以後學者若遇此四形式之人。量自己道理深淺。神氣之厚薄。而相較量。若是自己不能被彼之神氣欺住。可以與彼相較。若是覿面先被彼神氣罩住。自己先懼。一頭就不可與彼較量。若無求道之心。則已。若是有求道之心。只可虛心而恭敬之。以求其道也。兵法云。知己知彼。百戰百勝。能如此。視人。能如此待人。可以能無敵於天下也。並非人人能勝。方爲英雄也。虛實巧拙者。是彼此兩人一覿面數言。就要相較察彼之身形高矮。動作靈活不靈活。又看彼之神氣厚薄。一動一靜。言談之中。是內家。是外家。先不可驟然取勝於人。先用虛手以探試之。等彼之動作。或虛或實。或巧或拙。一露形迹。勝敗可以知其大概矣。被人所敗。不必言矣。若是勝於人。亦是道理中之勝人也。就是被人所敗。亦不能用奸詐之心也。余所以練拳一生。總是以道服人也。以上諸先師亦常言之。亦是余一生所經驗之事也。以後學者。雖然不用奸詐。不可不防奸詐。莫學余忠厚。時常被人所欺也。

一則

田靜傑先生言形意拳術之理。本是不偏不倚。中正和平。自然一氣流行之道也。拳經云。身式不可前栽。不可後仰。不可左斜。不可右歪。即不偏不倚之意也。其氣卷之則退藏於密。（即丹田也）放之則彌六合。（心與意合。意與氣合。氣與力合。是內三合也。肩與胯合。肘與膝合。是內三合也。）練之發着於十二形之中。（十二形爲萬形之綱也）身體動作因著形式有上下大小之分。動靜剛柔之判。起落進退之式。伸縮隱現之機也。雖然外體動作有萬形之分。而內運用一以貫之也。

一則

李奎元先生云。形意拳術之道。意者即人之元性也。在天地則爲土。土者天地之性。性者人身之土也。在人則爲性。在拳則爲橫。橫者即拳中先天圓滿中和之一氣也。內包四德。即劈崩鑽砲也。亦即眞意也。形意者是人之周身四肢動作。從其規矩順其自然。外不乖於形式。內不悖於神氣。外面形式之順。是內中神氣之和。外面形 之正。是內中意氣之中。是故見其外知其內。誠於內形於外。卽內外合而爲一者也。先賢云得其一而萬事畢。此爲形意拳術形意二字大概之意義也。

坐功雖云靜極而生動。丹田之動。是外來之氣動。其實還是意動。羣陰剝盡一陽來復。是陰之靜極而生動矣。丹書練己篇云。己者我之眞性。靜則爲性。動則爲意。妙用則爲神也。不靜則眞意不動。眞意不動而何有妙用乎。所以動者是眞意。練拳術到至善處。亦是性至靜。眞意發動。而妙用卽是神也。至於坐功靜極而動。採取火候之老嫩。法輪升降之歸根。亦不外性靜意動一神之妙用也。

## 二　則

練形意拳術。頭層明勁。垂肩墜肘塌腰。與寫字之工夫。往下按筆意思相同也。二層練暗勁。鬆勁往外開勁縮勁各處之勁。與寫字提筆意思相同也。頂頭蹬足。是按中有提提中有按也。三層練化勁。以上之勁俱有而不覺有。只有神行妙用。與之隨意作草書者。意思相同也。其言拳之規則法度。神氣結構轉折形質。與曾文正公家書輪書字言乾坤二卦並禮樂之意者。道理亦相同也。

三　則

形意拳術之道。勿拘於形式。亦不可專務於形式。二者皆非正道。先師云。法術規矩在假師傳。道理巧妙須自己悟會。故練拳術者。不可以練偏僻奇異之形式。而身爲其所拘。亦不可以練散亂無章之拳術。而不能通其道。所以練拳術者。先要求明師得良友。心思會悟。身體力行。日日習練不可間斷。方能有得也。不如是。混混沌沌。一生茫然無所知也。俗語云。世上無難事。就怕心不專。世人皆云拳術道理深遠不好求。實則不然。中庸云。道不遠人。人之爲道而遠人。天地。之間萬物之理。皆道之流行分散耳。人爲一小天地。亦天地間之一物也。故我。身中之陰陽卽天地之陰陽也。萬物之理。亦卽我身中之理也。大學注云心在。內而理周乎物。物在外而理具於心。易注云、遠在六合以外。近在一身之中。遠取諸物。近取諸身。天地之大。六合之遠。萬物之理、莫不在我一身之中。其拳始言一理。卽形意拳中之太極三體式之起點也。中散爲萬事。卽陰陽五行十二形。以至各形之理無微不至也。末復合爲一理者。卽各形之理總而合之內外如一也。放之則彌六合者。卽身體形式伸展。內中神氣放開。圓滿無缺也。高者如同極於天也。遠者如至六合之外也。卷之則退藏於密者。卽神氣縮至於丹田。至虛至無之意義也。遠取諸物者。譬如蛇之一物。曲屈夭矯。來去如風。吾欲取其意也。近取諸身者。若練蛇形。須研究其形。是五行拳中。（卽劈崩鑽砲橫也）何行合化而生出此形之勁也。勁者、即內中神氣貫通之氣也。所以要看此形之行動。頭尾身伸縮盤旋三節一氣。無一毫之勉強也。物之性能柔中有剛。剛中有柔。柔者如同絲帶相似。剛者、纏住別物之體、如鋼絲相似。再將物之形式動作。靈活曲折剛柔之理。而意會之。再自己身體力行而效之。工久自然得着此物之形式性能。與我之性能合而爲一矣。此形之性能。格物通了。再格物他形之性能。十二形之理亦然。以至於萬形之理。只要一動一靜。驟然視見。與我之意相感。忽覺與我身中之道相合。即可倣傚此物之動作。而運用之。所以練拳術者。宜虛心博問。不可自是。余昔年與人相較槍拳之時。即敗於人之手。然而又借此他勝我之法術。而得明我所練之道理也。是故拳術即道理。道理即拳術天地萬物無不可效法也。即世人亦無不可作我之師與友也。所以余幼年練拳術。性情異常剛愎。總覺己高於人。自拜　郭雲深先生爲師教授形意拳術。得着門徑。又得先生循循善誘。自己用功。晝夜不斷。又得良友相助。忽然豁然明悟。心闊似海。回思昔日所練所行。諸事皆非。自覺心中愧悔。毛髮悚懼。自此而知古人云。求聖求賢在於己。功名富貴在於命。練拳術者。關於人之一生禍福。後學者不可不知也。自此以後。不敢言己之長。議人之短。知道理之無窮。俗云强中自有强中手。能人背後有能人。心中戰戰兢兢。須臾不敢離此道理。一生亦不敢驕矜於人也。

四　則

形意拳之道。練之有無數之曲折層次。亦有無數之魔力混亂。一有不察。拳中無數之弊病出焉。故練者先以心中虛空爲體。以神氣相交爲用。以腰爲主宰。以丹田爲根。以三體式爲基礎。以九要之規模。爲練拳之具。以五行十二形爲拳中之物。故將所發出散亂之氣。順中用逆。縮回歸於丹田。用呼吸煅練。不用口鼻呼吸。要用眞息積於丹田。口中之呼吸。舌頂上腭。口似張非張。似閉非閉。還照常呼吸。不可有一毫之勉強。要純任自然耳。所以要除三害挺胸。提腹。努氣。是練形意拳之大弊病也。或有練的規矩不合。自己不知。身形亦覺和順。心中亦覺自如。然而練至數年工夫。拳術之內外不覺有進步。以通者觀之。是入於俗派自然之魔力也。或有練者手足動作亦整齊。內外之氣亦合的住。以傍人觀之。周身之力量看著亦極大無窮。自覺亦復如是。惟是與人相較。放在人家之身上。不覺有力。知者云。是被拘魔所捆也。因兩肩根兩胯裏根不舒展。不知內開外合之故也。如此雖練一生身體不能如羽毛之輕靈也。又有時常每日練習身形亦和順。心中亦舒暢。忽然一朝身形練着亦不順。腹中覺著亦不合。所練的姿式起落進退亦覺不對。而心中時覺鬱悶。知者云。是到疑團之地也。其實拳術確有進步。此時不可停工。千萬不可被疑魔所阻。即速求師說明道理而練去用力之久。而一旦豁然貫通。則衆物之表裏精粗之無不到。而吾拳之全體大用無不明矣。至此諸魔盡去。道理不能有所阻也。邱祖云。經一番魔亂。長一層福力也。

一　則

耿誠信先生云。幼年練習拳術之時。肝火太盛。血氣甚旺。往往與人無故不相和。視同道如仇敵。自己常常自煩自惱。此身爲拙勁所拘。不知自己有多大力量。有友人介紹深州劉奇蘭先生。拜伊爲門下。先生云。此形意拳。是變化氣質之道。復還於初。非是求後天血氣之力也。自練初步明勁之工夫四五年之時，自覺周身之氣質。腹內之性情。與前大不相同。回思昔年所作之事。對於人所發之性情音語。時時心中甚覺愧悔。自此而後。習練暗勁。又五六年身中內外之景況。與練明勁之時。又不同矣。每見同道之人。無不相合。遇有技術在我以上者。亦無不稱揚之。此時自己心中之技術。還有一點吝嗇之心。不肯輕示於人。嗣又還於化勁。習之又至五六年工夫。由身體內外剛柔相合之勁而漸化至於無此。至此方覺腹內空空洞洞。渾渾淪淪。無形無象。無我無他之境矣。自此方無有彼此之分。門戶之見。遇有同道者。無所不愛。或有練習未及於道者無不憐憫而欲教之。偶遇同道之人相比較者。並無先存一個打人之心在內。所用所發皆是道理。亦無入而不自得矣。此時方知形意拳是個中和之道理。所以能變化人之氣質。而人於道也。

## 一則

周明泰先生云。意形拳之道。練體之時。周身要活動。不可拘束。拳經云。十六處練法之中。雖有四就之說。就者束身也。束身非拘也。是將身縮住。內開外合。雖往回縮。外形之式要舒展。順中有逆。逆中有順。是故形意拳之道。內中之神氣要中正相交。外形之姿式。要和順不悖。所以練體之時。周身內外不要拘束也。練體之時。不可拘束。然而所用之時。外形亦不可有散亂之式。內中不可有驚懼之心。就是遇武術至淺之人。或遇不識武術之人、內中不可有驕傲之心存。亦不可以一手法必勝他人。務要先將自己之兩手。或虛或實。要靈活不可拘力。兩足之進退。要便利不可停滯。或一二手。式三五手不拘。將伊之虛實眞情引出。再因時而進之。可以能勝他人也。倘若遇武術高超之人。知其工夫極深。亦見其身體動作。神形相合。己心中亦贊美伊之工夫。亦不可生恐懼之心。務要將神氣貫注。兩目視定伊之兩眼之順逆。再視伊之兩手兩足。或虛實。或進退相交之時。彼進我退。彼退我進。彼剛我柔。彼短我長。彼長我短。亦得量彼之眞假靈實而應之。不可拘定一成法。而必勝於人也。如此用法。雖然不能勝於彼。亦不能一交手。卽敗於彼也。故練拳術之道。不可自負其能。無敵於天下也。

亦不可有恐懼心。不敢與人相較也。所以務要知己知彼。知己不知彼。不能勝人知。彼而不知己。亦不能勝人。故能知己知彼。可以能勝人。而亦能成爲大英雄之名也。

一　則

許占鰲先生云。練形意拳之道。萬不可有輕忽易視之心。五行十二形。以爲七日學一形。或十日學一形。大約少者半年。可以學完。多者一年之工夫。足以學完全矣。如此練形意拳。至於終身不能有所得也。所會者。不過拳之形式與皮毛耳。或者又知此拳之道理精微。不易得之於身。而有畏難之心。總疑一形兩形。大約三年五年。亦不能得其精微。若於全形之道理。大約終身亦得不完全矣。二者有一。雖然習練。始終不能有成也。二者若是全無。再虛心求老師傳授。第一三害之病不可有。第二九要之規矩要眞切。第三三體式要多站。九要要整齊。身子外形要中正。心中要虛空。神氣呼吸要自然。形式要和順。不如此。不能開手開步練習也。若是誠意練習。總要勿求速效。一日不和順。明日再站。一月不和順。下月再站。因三體式是變化人之氣質之始。並非要求血氣之力。是去自己之病耳。（拙氣拙力之病）所以站三體式者。有遲速不等。因人之氣質稟受不同也。至於開手開步練習一形不順不能練他形。一月不順。下月再練。半年不順一年練。練至身體和順。再練他形。非是形式不熟。亦是內中之氣質未變化耳。一形通順再練他形。自易通順。而其餘各形皆可一氣貫通。拳經云。一通無不通也。所以練形意拳者。勿求速效。勿生厭煩之心。務要有恆。作爲自己一生始終修身之工課。不管效驗不效驗。如此練去。工夫自然而有得也。

## 二　則

形意拳術三體式者。天地人三才之象也。即人身中之頭手足也。亦即形意八卦太極拳三派合一之體也。此式是虛而生一氣。是自靜而動也。太極兩儀至於三體式。是由動而靜也。再致虛極靜篤時還于本性。此性是先天之性。不是後天之性。此是形意拳術之本體也。此三體式。非是後天拙力血氣所爲。乃是拳中之規矩傳受而致也。此是拳術最初還虛之道也。此理與靜坐之工相合也。靜坐要最初還虛。俟虛極靜篤時。海底而生知覺。要動而後覺。是先天動。不可知而後動。知後而動。是後天忘想而生動也。俟一陽動時。卽速回光返照。凝神入於氣穴。神氣相交。二氣合成一氣。再有傳授文武火候老嫩。呼吸得法。能以煆煉。進退升降。亦可以次而行工也。因此是最初還虛。血氣不能加於其內。心中空空洞洞。卽是明心見性矣。前者自虛無至三體式。是由靜而動。動而復靜。是拳中起躦落翻之未發。謂之中也。中者是未發之和也。三體式重生萬物張者。是靜極而再動。此是起躦落翻已發也。已發是拳之橫拳起也。內中之五行拳。十二形拳。以致萬形。皆由此而生也。中庸云。天命之謂性率性之謂道不動。是未發之中也。動作能循環三體式之本體。是已發自和之。和者是已發之中也將所練之拳術。有過由不及而之氣質。仰而就。仰而止。教人改氣質腹歸於中。是之謂教也。故形意拳之內勁。是由此中和而生也。俗語云。拳中之內勁。是鼓小腹。硬如堅石。非也。所以形意拳之內勁。是人之元神元氣相合。不偏不倚。和而不流。無過不及。自無而有。自微而著。自小而大。由一氣之動。而發於周身。活活潑潑。無物不有。無時不然。中庸云。放之則彌六合。卷之則退藏於密。其味無窮。皆是拳之內勁也。善練者玩索而有得焉。則終身用之。有不能盡者矣。

三體式。無論變更何形。非禮不動。（禮即拳中之規矩姿式也）所以修身也。故一動一靜一言一默。行止坐臥。皆有規矩。所以此道動作。是純任自然。非勉強而作也。古人云。內爲天德。外爲王道。並非霸術。所行亦是此拳之意義也。

## 第五章　八卦拳

### 一則

程廷華先生云。練八卦拳之道。先得明師傳授。曉拳中之意義。並先後之次序。其實八卦。本是一氣變化之分。（一氣者即太極也）一氣仍是八卦四象兩儀之合。是故太極之外無八卦。八卦兩儀四象之外亦無太極也。所以一氣八卦爲其體。六十四變。以及七十二暗足。互爲其用。體亦謂之用。用亦謂之體。體用一源。動靜一道。遠在六合以外。近在一合身中。一動一靜。一言一默。莫不有卦象焉。莫不有體用焉。亦莫不有八卦之道焉。其道至大而無不包。其用至神而無不存。若是言。練先曉伸縮旋轉圜研之理。先以伸縮而言之。縮者是由高而縮於矮。由前而縮於後。從高而縮於矮之情形。身子如同縮至於深淵。從前而縮於後之意思。身體如同縮至於深窟。若是論身體伸長而言之。伸者自身體縮至極矮極微處。再往上伸去如同手捫於天。往遠伸去。又同手探於海角。此是拳中開合抽長之精意。古人云其大無外。其小無內。放之則彌六合。卷之則退藏於密所以八卦拳之道。無內外也。研者身轉如同幾微的螺絲細軸一般。身體有研轉之形。而內中之軸。無離此地之意也。旋轉之。是放開步法邁足望着圓圈一旋轉。如身體轉九萬里之地球一圈之意也。至於身體剛柔。如玲瓏透體活活潑潑。流行無滯。又內中規矩。的確確不易。胳膊百練之純鋼。化爲繞指之柔兩足動作皆勾股三角。兩手之運用。又合弧切八線。所以數不離理。理不離數理數兼該。乃得萬全也。將此道得之於身心。可以獨善其身。亦可以兼善天下。身之所行。是孝弟忠信。無事口中可以常念阿彌陀佛。行動不離聖賢之道。心中亦不離仙佛之門。非如此。不足以言練八卦拳術也。亦非如此。不能得着八卦拳之妙道也。

## 第六章　太極拳

### 一　則

郝爲楨先生云練太極拳。有三層之意思。初層練習。身體如在水中。兩足踏地。周身與手足動作如有水之阻力。第二層練習身體手足動作如在水中而兩足已浮起不著地。如長泅者浮游其間皆自如也第三層練習。身體愈輕靈。兩足如在水面上行到此時之景況。心中戰戰競競如臨深淵。如履薄冰。心中不敢有一毫放肆之意。神氣稍爲一散亂卽恐身體沈下也拳經云。神氣四肢。總要完整。一有不整。身必散亂。必至偏倚。而不能有靈活之妙用卽此意也。又云知己工夫。在練十三式若欲知人須有伴侶二人。每日打四手。（卽掤攄擠按也）工久卽可知人之虛實輕重隨時而能用矣倘若無人與自已打手。與一不動之物當爲人用兩手。或手體。與此物相較視定物之中心。或粘。或走。或靠。或手足總要相合。或如粘住他的意思。或如似挨未挨他的意思。身子內外總要虛空靈活。工久身體亦可以能靈活矣。或是自己與一個能活動之物。物之動去我可以隨着物之來去以兩手接隨之。身體曲伸往來上下相隨。內外一氣。如同與人相較一般。仍是求不卽不離。不丢不頂之意也。如此心思會悟。身體力行。工久引進落空之法亦可以隨心所欲而用之也。此是自己用工。無有伴侶之法則也。郝為楨先生與陳秀峯先生所練之架子不同。而應用之法術同者極多。所不同者。各有心得之處或不一也。

一　則

秀陳峯先生。言太極八卦。與六十四卦。卽手足四幹四枝共六十四卦也。其理八卦拳學言之詳矣與程廷華先生言遊身八卦並六十四卦。兩派之形式用法不同。其理則一也。陳秀峯先生。所用太極八卦。或粘或走。或剛或柔。並散手之用。總是在不卽不離內求玄妙。不丢不頂中討消息。以至引進落空。四兩撥千斤動作所發之神氣如長江大海。滔滔不絕也。此拳之道理王宗岳先生所著太極拳經論之最詳程廷華先生所用之游身八卦。或粘或走。或開或合。或離或卽。或頂或丢。忽隱忽現。或忽然一離相去一丈餘遠。忽然而回。卽在目前。或用全體之力。或用一手。或二指。或一指之一節。忽虛忽實。忽剛忽柔。無有定形。變化不測。形意八卦太極三家諸位先生所練之形式不同。其理皆合。其應用亦各有所當也。

## 第七章　形意拳譜摘要

拳經云。形意拳之道有七拳。八字。二總。三毒。五惡。六猛。六方。八要。十目。十三格。十四打法。十六練法。九十一拳。一百零三鎗之論。恐後來學者未見過拳經。不知有此。故述之以明其義。

七拳　頭肩肘手胯膝足共七拳也。

八字　斬（劈拳也）截（攢拳也）裹（横拳也）。胯（崩拳也）挑（踐拳也即燕形也）頂（炮拳也）雲（鼉形拳也）領。（蛇形拳也）

二總　三拳三棍爲二總（三拳是天地人生法無窮 三棍是天地人生生不已）

三毒　三拳三棍精熟即爲三毒。

五惡　得其五精。即爲五惡。

六猛　六合練成。即爲六猛。

六方　内外合一家。爲六方。

八要　心定神寧。神寧心安。心安清淨。清淨無物。無物氣行。氣行絶象。絶象覺明。（覺明則神氣相通萬氣歸根矣）

十目　即十目所視之意。

十三格　自七拳格起至士農工商爲十三格。

十四打法　手肘肩胯膝足左右共十二拳頭爲一拳臀尾爲一拳共十四拳

名爲七拳故有十四處打法此十四處打法變之則有萬法合之則爲五行兩儀而仍歸一氣也

十六處練法。一寸。二踐。三鑽。四就。五夾。六合。七齊。八正。九脛。十警。十一起落十二進退。十三陰陽。十四五行。十五動靜。十六虛實。

寸 足步也 踐 腿也 鑽 身也 就 束身也 夾 如加剪之加也 合 內外六合心與意合意與氣合氣與力合是爲內三合肩與胯合肘與膝合手足與合是爲外三合 齊 疾毒也內外如一 正 直也看正却是斜看斜却是正 脛 手磨內五行也 驚 驚起四稍也火機一發物必落磨脛磨脛意氣響連聲

起落 起是去也落是打也起亦打落亦打起落如水之翻浪纔成起落 進退 進是步低退是步高進退不是枉學藝 陰陽 看陰而却有陽看陽而却有陰天地陰陽相合能以下雨拳術陰陽相合纔能打人成其一塊皆爲陰陽之氣也 五行 內五行要動外五行要隨 動靜 靜爲本體動爲作用若言其靜未漏其機若言其動未見其迹動靜是發而未發之間謂之動靜也 虛實 虛是精也實是靈也精靈皆有成其虛實拳經歌曰精養靈根氣養神養功養道見天眞丹田養就長命寶萬兩黃金不與人

九十一拳三拳分爲二十一拳。五行生尅是十拳。分爲七十拳。共九十一拳一拳分爲七拳是前打

後打左打右打不打打打不打打打

一百零三鎗　天地人三鎗各分四柱。是三四一十二鎗。五行五鎗。是五七三十五鎗。八卦八鎗。是七八五十六鎗。共一百零三鎗也。

頭打落意隨足走。起而未起占中央。脚踏中門搶他位。就是神仙亦難防。

肩打一陰反一陽。兩手只在洞中藏。左右全憑蓋他意。舒展二字一命亡。

肘打去意占胸膛。起手好似虎撲羊。或在裏撥一旁走。後手只在脇下藏。

拳打三節不見形。如見形影不為虎。能在一思盡。莫在一思存。能在一氣先。莫在一氣後。

胯打中節並相連。陰陽相合得之難。外胯好似魚打挺。裏胯藏步變勢難。

膝打幾處人不明。好似猛虎出木籠。和身轉着不停勢。左右明撥任意行。

脚打採意不落空。消息全凴後脚蹬。與人較勇無虛備。去意好似捲地風。

臀尾打起落不見形。好似猛虎坐臥出洞中。

拳經云混元一氣吾道成。道成莫外五眞形。眞形內藏眞精神。神藏氣內丹道成。如問眞形須求眞。要知眞形合眞象。眞象合來有眞訣。眞訣合道得徹靈。養靈根而動心者。敵將也。養靈根而靜心者。修道也。

赤肚子胎息訣云氣穴之間昔人名之曰生門死戶又謂之天地之根凝神於此久之元氣日充元神日旺神旺則氣暢氣暢則血融血融則骨強骨強則髓滿髓滿則腹盈腹盈則下實下實則行步輕健動作不疲四體康健顏色如桃李去仙不遠矣此亦是拳術內勁之意義也

## 第八章

### 練拳經驗及三派之精意

余自幼練拳以來。聞諸先生之言。云拳即是道。余[illegible]之懷疑。至練暗勁。剛柔合一。動作靈妙。一任心之自然。與同道人研究。彼此各有所會。惟練化勁之後。內中消息。與同道之人言之。知者多不肯言。不知者茫然莫解。故筆之於書。以示同道。倘有經此景況者。可以互相研究。以歸至善。余練化勁所經者。每日練一形之式。到停式時。立正。心中神氣一定。每覺下部海底處。（即陰蹻穴處）如有物萌動初不甚着意。每日練之有動之時。亦有不動之時。日久亦有動之甚久之時。亦有不動之時。漸漸練於停式。心中一定。如欲泄漏者。想丹書坐功。有眞陽發動之語。可以採取。彼是靜中動。練靜坐者。知者亦頗多。乃彼是靜中求動也。此是拳術動中求靜。不知能消化否。又想拳經亦有處處行持不可移之言。每日功夫總不間斷。以後練至一停式。周身就有發空之景象。眞陽亦發動。而欲泄。此情形似柳華陽先生所云。復覺眞元之意思也。自覺身子一毫亦不敢動。動即要泄矣、心想仍用拳術之法以化之。內中之意。虛靈下沉注於丹田。下邊用虛靈之意。提住穀道。內外之意思。仍如練拳蹚子。一般意注於丹田片時。陽卽收縮。萌動者上移於丹田矣。此時周身融和綿綿不斷。當時尙不知採取轉法輪之理。而丹田內。如同兩物相爭之狀況。四五小時。方漸漸安靜。心想不動之理。是余練拳術之時。呼吸二息。仍在丹田之中。至於不練之時。雖言談呼吸。並不妨碍內中之眞息。並非有意存照。是無時不然也。莊子云。有人眞呼吸以踵。大約卽此意也。因有不息而息之火。將此動物消化。暢達於周身也。以後又如前動作。仍提在丹田。仍是練拳蹚子。內外總是一氣。緩緩悠悠練之。不敢有一毫之不平穩處。動作練時內中四肢融融綿綿虛空。與前站着之景況無異。亦有練一蹚而不動者。亦有練二蹚而不動者。嗣後亦有動時。仍提至丹田而動。練拳之內呼吸。轉法輪用意之用於丹田。以神轉息而轉之。從尾閭至夾脊。至玉枕。至天頂而下。與靜坐功夫相同。下至丹田。亦有一二三轉而不動者。亦有三四轉而不動者。所轉者與所練蹚子。消化之意相同。以後有不練之時。或坐立。或行動。內中仍以用練拳之呼吸。身子行路亦可以消化矣。以後甚至於睡熟。內中忽動。動而卽醒。仍以用練拳之呼吸而消化之。以後睡熟而內中不動。內外周身四肢。忽然似空。周身融融和和。如沐如浴之景況。睡時亦有如此情形。而夢中亦能用神意呼吸而化之。因醒後。已知夢中之情形而化之也。以後練拳術睡熟時。內中卽不動矣。後只有睡熟時。內外忽然有虛空之時。白天行止坐臥。四肢亦有發空之時。身中之情意異常舒暢。每逢晚上。練過拳術夜間睡熟時。身中發虛空之時多。晚上要不練拳術。睡時發虛空之時較少。以後知丹道有氣消之弊病。自已體察內外之情形。人道縮至甚小。消除百病。精神有增無減。以後靜坐亦如此。練拳亦如此。到此方知拳術與丹道是一理也。以上是余練拳術自已身體內外之所經驗也。故書之以告同志。

拳術至練虛合道。是將真意化到至虛至無之境。不動之時。內中寂然。空虛無一動其心。至於忽然有不測之事。雖不見不聞。而能覺而避之。中庸云。至誠之道。可以前知。是此意也。能到至誠之道者。三派拳術中。余知有四人而已。形意拳李洛能先生。八卦拳董海川先生。太極拳楊露禪先生。武禹讓先生。四位先生。皆有不見不聞之知覺。其餘諸先生。皆是見聞之知覺而已。如外有不測之事。只要眼見耳聞。無論來者如何疾快。俱能躲閃。因其功夫入於虛境。而未到於至虛。不能有不見不聞之知覺也。其練他派拳術者。亦常聞有此境界。未能詳其姓氏。故未錄之。

孫祿堂先生著

形意拳學　一冊
八卦拳學　一冊
太極拳學　一冊
八卦劍學　一冊
拳意述眞　一冊

民國十三年三月初版
民國十八年八月三版

（拳意述眞每册）實價大洋四角（外埠另加郵滙費）

版權所有

編纂者　蒲陽孫福全

校閱者　陳慎先　吳心穀

印刷者　仁記印務局　上海三馬路　北平大理院後　電話一五一三五號

發行者　蒲陽孫寓　旗守衛二十二號

經售處　法租界東新橋　上海帶鈎橋　上海中華體育會　南京國民政府西首　武學書局　鎮江西門　北平廊房頭條　江蘇省國術館　各埠大書局

# 勘誤表

| 頁 | 行 | 第幾字 | 少 | 多 | 誤 | 正 |
|---|---|---|---|---|---|---|
| 七 | 二 | 二 | | | 生 | 先 |
| 七 | 二 | 三 | | | 先 | 生 |
| 八 | 一 | 六 | | | 樂 | 樂 |
| 十一 | 九 | 四 | | | 時 | 字 |
| 十四 | 九 | 十七 | | | 拳 | 之 |
| 十五 | 三 | 十九 | | | 天 | 後 |
| 十七 | 四 | 十 | | | 裏 | 裏 |
| 二十 | 一 | 十四 | 之 | | | |
| 二十 | 一 | 十七 | | 之 | | |
| 二十二 | 三 | 十八 | | | 經 | 勁 |
| 二十二 | 二 | 二十 | | | 勁 | 者 |
| 二十二 | 三 | 二十八 | | | 將 | 靜 |
| 二十二 | 十 | 十 | | | 圖 | 此 |
| 三十 | 二 | 十五 | | | 養 | 資 |
| 三十 | 九 | 六 | | | 之 | 之 |
| 三十一 | 五 | 四 | | | 助 | 肋 |
| 三十二 | 十一 | 九 | | | 所 | 適 |
| 三十三 | 十 | 三十 | | | 。 | 勝 |
| 三十六 | 八 | 十 | | | 用 | 勁 |
| 三十七 | 二 | 十九 | | | 圍 | 圈 |
| 三十七 | 十 | 五 | | | 旋 | 旋 |
| 四十 | 七 | 二十五 | | | 折 | 析 |
| 四十一 | 二 | 八 | | | 將 | 或 |
| 四十一 | 九 | 二十九 | 好 | | | |
| 四十三 | 十 | 十五 | | | 快 | 快 |
| 四十三 | 十一 | 三十 | | | 漸 | 物 |
| 四十四 | 三 | 二十三 | | 用 | | |
| 四十四 | 十一 | 十七 | | | 無 | 之 |
| 四十六 | 九 | 六 | | | 候 | 機 |
| 五十三 | 七 | 二 | | | 門 | 關 |
| 五十八 | 二 | 八 | 式 | | | |
| 七十 | 二 | 二十二 | | | 自 | 之 |
| 七十 | 二 | 二十五 | | | 之 | 也 |
| 七十 | 三 | 十四 | | 面 | | |
| 七十 | 三 | 二十六 | 變 | | | |
| 七十 | 三 | 三十 | | | 攖 | 復 |
| 七十一 | 五 | 十二 | | 合 | | |
| 七十一 | 五 | 十四 | 之 | | | |
| 七十二 | 四 | 十八 | | | 之 | 者 |
| 七十三 | 十一 | 二十四 | | | 搖 | 哉 |
| 七十三 | 十一 | 二十五 | | | 或 | 搖 |
| 七十七 | 六 | 二十六 | | | 膝 | 膝 |
| 七十七 | 七 | 一 | | | 足 | 與 |
| 七十七 | 七 | 二 | | | 與 | 足 |
| 七十八 | 八 | 十四 | | | 虎 | 能 |
| 八十 | 六 | 八 | | | 練 | 至 |
| 八十一 | 九 | 二十九 | | | 勁 | 用 |
| 八十一 | 十 | 十一 | 主 | | | |
| 八十一 | 十 | 十三 | | 用 | | |
| 八十一 | 十 | 十八 | | | 轉 | 用 |

# 孝意述真

# 拳意述真序

孙禄堂先生以形意、八卦、太极拳术教授后学，恐久而失其真也，乃作《拳意述真》述先辈传授之精意而加以发挥，竣稿后命余序之。三家之术，其意本一，大抵务胜人尚气力者，源失之浊；不求胜于人、神行机圆而人亦莫能胜之者，其源则清，清则技与道合，先生是书皆合乎道之言也。先生学形意，拜李奎垣先生之门，李之师为郭先生云深，而先生实学于郭，从之最久。幼弃其业，随之往来各省，郭先生骑而驰，先生手揽马尾步追其后，奔逸绝尘，日尝行百余里。至京师，闻程先生廷华精八卦拳术，董海川先生之徒也，访焉，又绝受其术。程先生赞先生敏捷过于人，人亦乐授之。蚤[①]从郭，暮依程，如是精练者数年，游行郡邑，闻有艺者必造访，或不服与较，而先生未尝负之，故郭程二先生赞曰："此子真能不辱其师。"先生年五十余居京师，有郝先生为真者自广平来，郝善太极拳术，又从问其意，郝先生曰："异哉，吾一言而子通悟，胜专习数十年者。"故先生融会三家，而能得其精微，笔之于书，表章先辈，开示后学，明内家道艺无二之旨、动静交偹[②]之法，其理深矣，其说俱备于书，阅者自知之。余因略述先生得道之由，以见先生是书乃苦功经历所得者，非空言也。

民国十二年岁次癸亥仲冬蕲水陈曾则序

注释

①蚤：古同“早”。

②脩：同“修”。

# 拳意述真自序

夫道者，阴阳之根，万物之体也。① 其道未发，悬于太虚之内；② 其道已发，流行于万物之中。③ 夫道，一而已矣。在天曰命，在人曰性，在物曰理，在拳术曰内劲，④ 所以内家拳术有形意、八卦、太极三派形式不同，其极还虚之道则一也。⑤《易》曰：一阴一阳之谓道。若偏阴、偏阳皆谓之病。⑥ 夫人之一生，饮食之不调，气血之不和，精神之不振，皆阴阳不和之故也。⑦ 故古人创内家拳术，使人潜心玩味，以思其理，身体力行，以合其道，则能复其本来之性体，⑧ 然吾国拳术，门派颇多，形式不一，运用亦异，毕生不能穷其数，历世不能尽其法。余自幼年好习拳术，性与形意、八卦、太极三派之拳术相近，研究五十余年，得其概要，⑨ 曾著形意、八卦、太极拳学，已刊行世。今又以昔年所闻先辈之言，述之于书，俾学者得知其真意焉。⑩ 三派拳术，形式不同，其理则同；用法不一，其制人之中心，而取胜于人者则一也。按一派拳术之中，诸位先生之言论形式，亦有不同者，盖其运用，或有异耳。⑪ 三派拳术之道，始于一理，中分为三派，末复合为一理。其一理者，三派亦各有所得也：形意拳之诚一也；八卦拳之万法归一也；太极拳之抱元守一也。⑫ 古人云：“天得一以清，地得一以宁，人得一以灵，得其一而万事毕也”。⑬ 三派之理，皆是以虚无而始，以虚无而终，所以三派诸位先生所练拳术之道，能与儒释道三家诚中、虚中、空中之妙理，合而为一者也。⑭ 余深恐诸位先生之苦心精诣，久而淹没，故述之以公同好，⑮ 惟自愧学术谫陋无文，或未能发挥诸位先生之妙旨，望诸同志，随时增补之，以发明其道可也。

民国十二年岁次癸亥直隶完县孙福全序

注 释

① 夫道者……万物之体也：谓道是阴阳二气之所由生，万物未生之前的本体。

② 其道未发，悬于太虚之内：谓道未发动时，悬于太空之内，其体不可见。

③ 其道已发，流行于万物之中：谓道已发动，道便流行于万物之中无处不在。

④ 夫道……在拳术曰内劲：是说道本体就是一，道既化生阴阳天地之后，道则无处不在。

⑤ 所以内家……则一也：谓内家拳有形意、八卦、太极三派，三派拳法形式不同，而练到精深处，则皆还归于太虚浑元之道，这是一致的。

⑥《易》曰……偏阳皆谓之病：《周易·系辞》说：“一阴一阳之谓道。”配合平衡则合于道。反之，有阴无阳，或偏阴偏阳，即谓不道，不道则成病。

⑦ 夫人……不和之故也：谓人的饮食、气血、精神等各有常度，若失

其常度，则偏阴偏阳，阴阳不和，则疾病生。

⑧ 故古人……本来之性体：谓古人创内家拳术，使人深思其理，力行其道，就能恢复其本来的精神体质。

⑨ 然吾……得其概要：谓吾国拳术门派颇多，不能尽学，我因性格与形意、八卦、太极拳等相近，所以深入研究了五十余年，得到其中要领。

⑩ 曾著……其真意焉：谓过去我曾著有《形意拳学》《八卦拳学》《太极拳学》已刊行于世；今又笔述昔年所闻先辈之言，成一专书，以传先辈的真意。

⑪ 按一派拳术……或有异耳：谓对于一派拳术，诸位先辈的论述与形式，也有不同的，因之在运用时或有不同之处。

⑫ 形意拳之诚一……抱元守一也："一"指道而言。"诚一"，谓诚于道。

⑬ 古人云……万事毕也：此老子语。"一"，指阴阳谐和的自然之道。天得此道则清，地得此道则安，人得此道则明智。万事各得其道，则万事无所不成。

⑭ 三派之理……合而为一者也：是说此三派的理论，皆自虚无开始，又皆以虚无终结。所以此三派诸先生所练拳术之道，能与儒家诚中之理、释家虚中之理、道家空中之理，合而为一。

⑮ 余深……以公同好：是说我深恐诸先生多年苦心研究所得的精髓，久而湮没，故述之成书，以公于世。余：代词，表第一人称。淹没：当为"湮没"。

# 序[1]

禄堂先生既著形意、八卦、太极三书行世嘉惠后学，厥功匪浅，然犹惧不知者以拳术为御侮之具，仅凭血气之勇也，于是有《拳意述真》之作，凡拳中之奥义，阐发无遗，平日所闻之诸先生辈者一一笔之于书，使好拳术者，由此而进于道焉，俾武术之真义不致湮没，此先生之苦心也。其以“述真”名者，盖本述而不作之意，于此益见先生之谦德已。

民国十二年岁次癸亥冬月吴心穀拜读并识

注释

① 原书无此“序”字。

# 拳意述真目次①

注释

①本书后文的章节标题，多处与此目次不同，现统一按本目次改正，后不再另注。

②襄：原文“武禹讓”误，改为“武禹襄”。后同，不另注。

# 第一章 形意拳家小传

## 李洛能[1]先生

李先生讳飞羽，字能然，世称老能先生，或曰洛能、洛农、老农，皆一音之转也。直隶深县人，经商于山西太谷。喜拳术，闻县境有戴龙邦[2]先生者，善形意拳，往访焉。觌面一见，言谈举止，均甚文雅，不似长武术者，心异之，辞去。他日倩人[3]介绍，拜为门下，时先生年三十七岁也。自受教后，昼夜练习，二年之久，所学者，仅五行拳之一行，即劈拳，并半趟[4]连环拳耳。虽所学无多，而心中并不请益[5]，诚心习练，日不间断。是年龙邦先生之母八十寿诞，先生前往拜祝，所至之宾客，非亲友，即龙邦先生之门生。拜寿之后，会武术者皆在寿堂练习，各尽其所学焉。惟先生只练拳趟半，龙邦先生之母，性喜拳术，凡形意拳之道理并形式，无所不晓，遂问先生，为何连环拳只练半趟。先生答曰：仅学此耳。当命龙邦先生曰：此人学有二年之久，所教者甚少，看来到[6]是忠诚朴实，可以将此道理，用心教授之。龙邦先生本是孝子，又受老母面谕，乃尽其所得乎心者而授之先生。先生精心练习，至四十七岁，学乃大成，于形意拳之道理，无微不至矣！每与人相较，无不随心所欲，手到功成，当时名望甚著，北数省人皆知之。教授门生郭云深、刘奇兰、白西园、李太和、车毅斋、宋世荣诸先生等。于是先生名声愈著，道理愈深。本境有某甲，武进士也，体力逾常人，兼善拳术，与先生素相善，而于先生之武术，则窃有不服，每蓄意相较，辄以相善之故，难于启齿。一日会谈一室，言笑一如平常，初不料某甲之蓄意相试，毫无防备之意，而某甲于先生行动时，乘其不意，窃于身后即捉住先生，用力举起。及一伸手，而身体已腾空斜上，头颅触入顶棚之内，复行落下，两足仍直立于地，未尝倾跌。以邪术疑先生，先生告之曰：是非邪术也，盖拳术上乘神化之功，有不见不闻之知觉，故神妙若此，非汝之所知也。时人遂称先生曰“神拳李能然”。年八十余岁，端坐椅上，一笑而逝。

注 释

①李洛能：河北深县人。名飞羽，字能然。世称洛能或洛农，乃为“老能”尊称传音之误。据今人考证，生卒年约为1806—1890年。相传为戴龙邦弟子，今人考证，认为系郭维汉所传，一说是戴文勋（龙邦之子）所传。

②戴龙邦：山西太谷县人，一说是祁县人。一般记载为曹继武传人，但也有不同说法，各持所据，莫衷一是。

③倩：音qìng，倩人：央求请托别人做某事。

④半趟：原文“蹚”，音tāng，从有水、草的地方走过去；此处当作“趟”，指来往的次数，后同，不另注。

⑤请益。音qǐng yì，请求增加或要求老师再讲一遍。

⑥到：当作“倒”。

## 郭云深[1]先生

郭先生讳峪生，字云深，直隶深县马庄人。幼年好习拳术，习之数年，无所得，后遇李能然先生，谈及形意拳术，形式极简单而道则深奥，先生甚爱慕之。能然先生视先生有真诚之心，遂收为门下，口传手授。先生得传之后，心思会悟，身体力行，朝夕习练数十年。能然先生传授手法，二人对手之时，倏忽之间，身已跌出二丈余，并不觉有所痛苦，只觉轻轻一划，遂飘然而去。先生既受能然先生所教拳术三层之道理，以至于体用规矩法术之奥妙，并剑术刀枪之精巧，无所不至其极。常游各省，与南北二派同道之人交接甚广，阅历颇多。亦尝戏试其技，令有力壮者五人，各持木棍，以五棍之一端，顶于先生腹，五人将足立稳，将力使足，先生一鼓腹，而五壮年人，一齐腾身而起，跌坐于丈余之外；又练虎形拳，身体一跃，至三丈外。先生所练之道理，腹极实而心极虚，形式神气沉重如泰山，而身体动作轻灵如飞鸟。所以先生遇有不测之事，只要耳闻目见，无论何物，来的如何勇猛速快，随时身体皆能避之。先生熟读兵书，复善奇门[2]，著有《解说形意拳经》，详细明畅，赐予收藏，后竟被人窃去，不知今藏何所，未能付梓流传，致先生启逮[3]后学之心，湮没不彰，惜哉！先生怀抱绝技奇才，未遇其时，仅于北数省教授多人，后隐于乡闾，至七十余岁而终。



### 注释

①郭云深：拜能然先生为师，深得形意拳之精微奥义。与人交手，仅用半步崩拳击人从未曾败，故有“半步崩拳打天下”之威名，为河北派形意拳之代表人物。他对发展和完善形意拳之理论有着不可磨灭的功绩，并为后

来形意拳成为一大名拳奠定了基础。他总结出练形意拳的三层道理、三种练法、三步功夫，后面有详细叙述。

② 奇门：术数之一种，《奇门遁甲》是中国古代术数著作，亦简称《遁甲》。

③ 启逮：比喻引导启迪后学，使其达到或取得某种成就。启：引导、启迪；逮：到达、得到。此词原出处未详，或是脱化自“津逮”（由津渡而到达）一词。

### 刘奇兰先生

刘先生，字奇兰，直隶深县人，喜拳术，拜李能然先生为师，学习形意拳术。先生隐居田庐，教授门徒，联络各派，无门户之见，有初见先生，数言即拜服为弟子者。先生至七十余岁而终。弟子中，以李存义、耿诚信、周明泰三先生艺术为最。其子殿臣，著《形意拳抉微》[①]，发明先生之道。

注 释

① 《形意拳抉微》：亦作《形意拳术抉微》；刘殿臣，亦作刘殿琛。

### 宋世荣先生

宋世荣[①]先生，宛平人，喜昆曲、围棋，性又好拳术。在山西太谷开设钟表铺。闻李能然先生拳术高超，名冠当时，托人引见，拜为门下。自受教后，昼夜勤苦习练，迄不间断。所学五行拳及十二形，无不各尽其妙。练习十二形中蛇形之时，能尽蛇之性能，回身向左转时，右手能摄住右足跟；及向右转时，左手能摄住左足跟；回身停式，身形宛如蛇盘一团；开步走趟，身形委曲弯转[②]，又如蛇之拨草蜿蜒[③]而行也。练燕形之时，身子挨着地，能在板凳下边一掠而过，出去一丈余远，此式之名，即叫燕子抄水。又练狸猫上树此系拳中一着之名目，身子往上一跃，手足平贴于墙，能粘一二分钟时。当时同门同道及门外之人，见者固极多，现时曾亲覩[④]先生所练各式之技能者，亦复甚夥[⑤]。盖先生格物之功甚深[⑥]，能各尽其性，故其传神也若此。昔伶人某，与先生相识，云在归化城时，亲见先生与一练技者比较，二人相离丈余，练技者挺身一纵，甫一出手，其身已如箭之速，跌出两丈有余，而先生则毫无动转，只见两手于练技者之身一划耳！余二十余岁时，住于北京小席儿胡同白西园先生处，伶人某与白先生对门居，闻其向白先生言如此。民国十二年一月间，同门人某往太谷拜见先生，先生时年八十余岁矣，精神健壮，身体灵动，一如当年。归后告于予曰，先生谈及拳术时，仍复眉飞色舞，口言其理，身比其形，殊忘其身为耄耋翁，且叹后进健者之不如焉！

注 释

① 宋世荣：原书记载民国十二年（1923年）一月，有人去山西拜访宋先生，当时他已八十余岁，按此推算，宋先生生年约在1841年左右。师事李能然先生。他迁居山西太谷，将形意拳复传至山西，是山西派形意拳代表人物。宋先生一生研究形意拳，对拳理颇多心得，有很多精辟论述，著有《内功经》一书，包括《纳卦经》《神运经》《地龙经》等，是研究形意拳的珍贵资料。

② 弯转：原文“湾”当作“弯”。弯：折，使弯曲。后同，不另注。

③ 蜿蜒：原文“蜿蜓”误，改为“蜿蜒”。

④ 覩：古同“睹”。后同，不另注。

⑤ 夥：音 huǒ，多。

⑥ 格物之功甚深：格物，《礼记·大学》“致知在格物。”朱熹注解，“格物为穷至事物之理”。致知是说要得到知识、学问。这里说宋世荣先生格物之功甚深，就是说，他对事物的道理，穷研细究到极深透，故而能体会到拳中之各形之性能和神意，在练时才能传神并尽其能事。

## 车毅斋[①]先生

车先生永宏，字毅斋，山西太谷县人，家中小康，师李能然先生，学习拳术。先生自得道[②]后，视富贵如浮云，隐居田间，教授门徒甚多，能发明之道者，山西祁县乔锦堂先生为最。先生乐道，始终如一。至八十余岁而终。

### 注 释

① 车毅斋：生于 1833 年，至八十余岁而终，卒于 1915 年左右。精形意拳，与宋世荣先生同为山西派形意拳的代表人物。

② 得道：是指得拳术之道。指拳中之精微奥义俱能心领神会。

## 张树德先生

张先生字树德，直隶祁州人，幼年好习武术，拜李能然先生为师，练拳并剑刀枪各术，合为一气，以拳为剑，以剑为拳。所用之枪法极善，有来访先生比较枪法者，皆为先生所败。先生隐居田间，教门徒颇多。门徒承先生之技术者，亦不乏人。先生至八十余岁而终。

### 刘晓兰先生

刘先生字晓兰，直隶河间县人，为贾于易州西陵。性喜拳术，幼年练八极拳，工夫极纯。后又拜李能然先生为师，研究形意拳术，教授门徒，直省最多。老来精神益壮。八十余岁而终。

### 李镜斋先生

李先生[1]字镜斋，直隶新安县人，以孝廉历任教授。性好拳术，年六十三拜李能然先生为师，与郭云深先生相处最久，研究拳术。练至七十余岁，颇得拳术之奥理，动作轻灵，仍如当年。先生云："至此方知拳术与儒学之道理，并行不悖，合而为一者也。"[2]李先生寿至八十而终。

注 释

① 李先生：原文"李生先"误，改为"李先生"。

② 至此方知拳术与儒学……合二为一者也：无论形意、八卦、太极哪种拳，都要求内部精、气、神圆满无亏，操练身法要求伸缩往来，开合进退，不偏不倚，不凹不凸，无过不及。《尚书·大禹谟》有"允执厥中"，意即守中道，无过不及也。拳术之理与此相合，并行不悖。

### 李存义[1]先生

李先生，名存义，字忠元，直隶深县人。轻财好义，性喜拳术，幼年练习长短拳，后拜刘奇兰先生之门，学形意拳术，习练数十年。为人保镖，往来各省，途中遇盗贼，手持单刀对敌，贼不敢进；或闻先生之名，义气过人，避道者，故人以"单刀李"称之。民国元年，在天津创办武士会，教授门徒，诲人不倦，七十余岁而终。

注 释

① 李存义：字忠元（1847—1921年），是使河北派形意拳发扬光大的重要人物。他曾拜董海川先生为师，学习八卦拳。1900年间，曾参与义和拳对八国联军在天津老龙头的战役，血透重衣，犹深入战阵劈敌无数。李先生对拳术多有论述，著有木版本之《五行拳谱》《连环拳谱》《八字功拳谱》《形意真诠》及未出版之拳谱多篇。

### 田静杰先生

田先生字静杰，直隶饶阳县人。性好拳术，拜刘奇兰先生为师。先生保镖护院多年，生平所遇奇事甚多，惜余不能记忆，故未能述之。先生七十余岁，在田间朝夕运动，以藥[1]晚年。

注 释

① 藥：繁体字“樂”（乐）的误写。

### 李奎垣先生

李先生讳殿英，字奎垣，直隶涞水县山后店上村人。幼年读书，善小楷，性喜拳术，从易州许某学弹腿、八极等拳，功夫极纯熟，力量亦颇大。先生在壮年之时，保镖护院，颇有名望，每好与人较技，时常胜人。后遇郭云深先生，与之比较，先生善用腿，先生之脚方抬起，见云深先生用手一划，先生身后有一板凳，先生之身体，从板凳跃过去，两丈余远，倒于地下矣。先生起而谢罪，遂拜为门下，侍奉云深先生如父子然。后蒙云深先生教授数年，昼夜习练，将所受之道理，表里精微，无所不至其极矣。余从先生受教时，先生之技术，未甚精妙。先生自得道后，常为书记，不轻言拳术矣。余遂侍从郭云深先生受教。先生虽不与人轻言拳术，而仍练拳不懈，他人所不知也。先生至七十余岁而终。

### 耿诚信先生

耿先生，名继善，字诚信，直隶深县人。喜拳术，拜刘奇兰先生为师，学习形意拳。隐居田间，以道为乐[①]，传授门徒多人。七十余岁，身体轻灵，健壮仍如当年。

注 释

① 以道为乐：指拳术之道。

### 周明泰先生

周先生，字明泰，直隶饶阳县人。幼年在刘奇兰先生家为书童，喜拳术，遂拜奇兰先生为师。练习数载，保镖[①]多年。直隶鄚州[②]一带门徒颇多，六十余岁而终。

注 释

① 原文“保标”误，改为“保镖”。

② 鄚州：在今河北省任县北。

## 许占鳌先生

许先生，名占鳌，字鹏程，直隶定县人。家中小康，幼年读书，善八法[①]，性喜拳术。专聘教习练习长拳、刀枪剑术。身体轻灵似飞鸟，知者皆以“赛毛”称之。后又拜郭云深先生为师，学习形意拳术。传授门徒颇多，六十余岁而终。

注 释

① 八法：指书法用笔，以永字八笔为例，名永字八法。此处善八法，言其工书法也。

# 第二章　八卦拳家小传

## 董海川先生

董海川[1]先生，顺天[2]文安县朱家坞人，喜习武术，尝涉迹江皖间，遇异人传授，居三年，拳术剑术及各器械，无不造其极。归后入睿王府[3]当差，人多知其有奇技异能，投为门下受教者络绎不绝。所教拳术，称为八卦，其式形，皆是河图洛书[4]之数；其道体，俱是先天后天[5]之理，其用法，乃八八六十四卦之变化而无穷；一部易理，先生方寸之间，体之无遗，是以先生行止坐卧，动作之际，其变化之神妙，非常人所能测也。居尝跏趺[6]静坐，值夏日大雨墙忽倾倒，时先生趺坐于炕[7]贴近此墙。先生并未开目，弟子在侧者，见墙倒之时，急注视先生忽不见，而先生已趺坐于他处之椅上，身上未着点尘。先生又尝昼寝，时值深秋，弟子以被覆之，轻轻覆于先生身，不意被覆于床，存者仅床与被，而先生不见矣！惊而返顾，则先生端坐于临牕[8]之一椅，谓其人曰："何不言耶，使我一惊。"盖先生之灵机至是，已臻不见不闻即可知觉之境，故临不测之险，其变化之神妙，有如此者。《中庸》云："至诚之道，可以前知。"即此义也。年八十余岁，端坐而逝。弟子尹福、程廷华等，葬于东直门外榛椒树东北红桥大道旁，诸门弟子建碑，以志其行焉。

### 注 释

① 董海川：生于清嘉庆元年（1796 年，据习云太《中国武术史》236 页载），卒于光绪八年（1882 年，据 1984 年《武林精粹》第一辑 95 页载董之弟子八人所立碑之碑文所记），享年 86 岁。1982 年将坟迁至北京万安公墓（董之生年，其说不一，有清嘉庆元年、二年、九年、十八年之说；卒年系光绪八年无误）。

② 顺天：旧府名。其辖区约在北京四周，共五州十九县，中有文安县。

③ 睿王府：原文如此。而董海川供职王府一事，有多种版本不一，诸说待考。

④ 河图洛书：见《周易·系辞》："河出图洛出书，圣人则之。"孔疏引《春秋纬》说：河龙图发，洛龟书感。河图有九篇，洛书有六篇。孔安国以为河图则八卦是也，洛书则九畴是也。

⑤ 先天后天：八卦按其方位分为先天八卦，后天八卦。是宋儒根据《周易·说卦传》所绘定。

⑥ 趺：原文"跌"是跏趺的"趺"误写，后同，不另注。跏趺：音 jiā fū，原是佛教中修禅者的坐法，后亦泛指静坐，端坐。

⑦ 炕：原文"坑"误，改为"炕"。

⑧ 牕：音 chuāng，同"窗。

### 程廷华先生

程廷华①先生，直隶深县人，居北京花市大街四条，以眼镜为业，性喜武术，未得门径，后经人介绍拜董海川先生为师，所学之拳，名为游身八卦连环掌。自受传后，习练数年，得其精微，名声大振，人称之为“眼镜程”，无人不知之也。同道之人，来比较者甚多，无不败于先生之手者，因此招人之忌，一日晚先生由前门返铺中，行至芦草园，正走时，忽闻后有脚步声甚急，先生方一回头，见尾随之人手使砍刀一把，光闪曜目，正望着先生之头劈下。先生随即将身往下一缩，倏忽越出七八尺，其刀落空，旋即回身，夺其刀以足踢倒于地，以刀掷之，曰：“朋友，回家从[2]用工夫，再来可也。”不问彼之姓名，徜徉而去，当时有数人亲眼见之。在京教授门徒颇多，其子海亭，亦足以发明先生技术之精奥者矣。

注释

① 程廷华：系董海川先生弟子中的佼佼者，他曾代师传艺，并广授门徒，对八卦拳的发展传播影响很大，后来自成一家。1900年，八国联军入侵北京时，他奋起抗击，只身杀敌多人，后因寡不敌众，为火器围击，终于为维护民族的尊严而献身。

② 从：从新，即重新，从头另行开始。

# 第三章　太极拳家小传

### 杨露禅[①]先生

杨先生，字露禅，直隶广平府人，喜拳术，得河南怀庆府陈家沟子之指授，遂以太极名于京师，来京教授弟子，故京师之太极拳术，皆先生所传也。

注　释

① 杨露禅：广平府永年县人。生于1799年，卒于1872年。师陈长兴，武艺高超，据本书记载，杨先生功臻不见不闻而能觉而避之之境界，有“杨无敌”之称，是杨氏太极拳创始人。原文“露蝉”改为“露禅”。杨名向有“露禅”“禄禅”“露蝉”之不一，本书统一作“露禅”。

### 武禹襄[①]先生

武先生，字禹襄，直隶广平府人，往河南怀庆府赵堡镇陈清平先生处，学习太极拳术，研究数十年，遇敌制胜，事迹最多。郝为桢先生言之不详，故未能述之。

注 释

① 武禹襄（1812—1880 年）：直隶广平府永年县人。武氏太极拳创始人。

## 郝为桢[①]先生

郝先生，讳和，字为桢，直隶广平永年县人，受太极拳术于亦畬先生。昔年访友来北京，经友人介绍，与先生相识。见先生身体魁伟，容貌温和，言皆中理，身体动止，和顺自然，余与先生遂相投契。未几，先生患痢疾甚剧，因初次来京不久，朋友甚少，所识者，惟同乡杨建侯先生耳。余遂为先生请医服药，朝夕服侍，月余而愈。先生呼余曰："吾二人本无至交，萍水相逢，如此相待实无可报。"余曰："此事先生不必在心，俗云四海之内皆朋友，况同道乎。"先生云："我实心感，欲将我平生所学之拳术，传与君，愿否?"余曰："恐求之不得耳。"故请先生至家中，余朝夕受先生教授，数月得其大概。后先生返里，在本县教授门徒颇多。先生寿七十有余岁而终，其子月如能传先生之术，门徒中精先生之武术者亦不少矣。

注 释

① 郝为桢（1847—1920 年）：太极拳受教于李亦畬（1832—1892 年）先生，复经过自己的体验发展创郝氏太极拳术。

# 第四章　形意拳

## 述郭云深先生言　十四则

### 一　则

郭云深先生云："形意拳术有三层道理，有三步功夫，有三种练法。"

**三层道理**

一炼精化气；二炼气化神；三炼神还虚练之以变化人之气质，复其本然之真也。①

**三步功夫**

一易骨。练之以筑其基，以壮其体，骨体坚如铁石，而形式气质，威严状似泰山。

二②易筋。练之以腾其膜，以长其筋俗云筋长力大，其劲纵横联络，生长而无穷也。

三洗髓。练之以清虚其内，以轻松其体，内中清虚之象，神气运用，圆活无滞，身体动转，其轻如羽（拳经云："三回九转是一式"，即此意义也)。[3]

三种练法

一明劲。练之总以规矩不可易，身体动转要和顺而不可乖戾，手足起落要整齐而不可散乱。拳经云："方者以正其中"[4]，即此意也。

二暗劲。练之神气要舒展而不可拘，运用圆通活泼而不可滞。拳经云："圆者以应其外"[5]，即此意也。

三化劲。练之周身四肢动转，起落、进退皆不可着力，专以神意运用之。虽是神意运用，惟形式规矩，仍如前二种不可改移。虽然周身动转不着力，亦不能全不着力，总在神意之贯通[6]耳。拳经云："三回九转是一式"，亦即此意义也。

注 释

① 一炼精化气……复其本然之真也：李东垣先生曰："人自虚无而生神，积神而生气，积气而生精，此自无而之有也。炼精而化气，炼气而化神，炼神而还虚，此自有而之无也。拳术之道，生化之理，其即此意也夫！""炼精化气"等，为内丹学以人的身体为鼎炉，修炼"精气神"等的术语，原稿此处"练"当作"炼"。后同，不另注。

② 原稿"一"误，改为"二"。

③ 三洗髓……即此意义也：是说在练拳过程中，内中要空虚，身体要自然松柔，神气运转及身体动作，都应圆活无滞。拳经说："三回九转是一式"，三回者，炼精化气、炼气化神、炼神还虚，即明劲暗劲化劲是也。三回者，明暗化劲是一式；九转者，九转纯阳也。化至虚无，而还于纯阳。

④ 方者以正其中：方，法也，道也。遵其法才能中而合乎规矩，手足起落才能整齐。

⑤ 圆者以应其外：物之丰满曰圆，浑圆形容周边无缺，练习拳术时，

神气舒张，运用圆通不滞。从外形观之，似一圆形运转而无穷。

⑥神意之贯通：原文“神意拳贯通”误，改为“神意之贯通”。

一节 明劲

明劲者，即拳之刚劲也。易骨者，即炼精化气易骨之道也。因人身中先天之气与后天之气不合，体质不坚，故发明其道。大凡人之初生，性无不善，体无不健，根无不固，纯是先天。以后，知识一开，灵窍一闭，先后[①]不合，阴阳不交，皆是后天血气用事。故血气盛行，正气衰弱，以致身体筋骨不能健壮。故昔达摩大师传下易筋、洗髓二经，习之以强壮人之身体，还其人之初生本来面目。后宋岳武穆王扩充二经之义，作为三经：易骨、易筋、洗髓也。将三经又制成拳术，发明此经道理之用。拳经云：“静为本体，动为作用”，与古之五禽、八段练法有体而无用者不同矣。因拳术有无穷之妙用，故先有易骨、易筋、洗髓，阴阳混成，刚柔悉化，无声无臭，虚空灵通之全体，所以有其虚空灵通之全体，方有神化不测之妙用。故因此拳是内外一气，动静一源，体用一道，所以静为本体，动为作用也。因人为一小天地，无不与天地之理相合，惟是天地之阴阳变化皆有更易。人之一身既与天地道理相合，身体虚弱，刚戾之气，岂不能易乎？故更易之道，弱者易之强，柔者易之刚，悖者易之和，所以三经者，皆是变化人之气质，以复其初也。易骨者，是拳中之明劲，炼精化气之道也。将人身中散乱之气，收纳于丹田之内，不偏不倚，和而不流，用九要之规模锻炼[②]，练至于六阳纯全[③]，刚健之至，即拳中上下相连，手足相顾，内外如一。至此，拳中明劲之功尽，易骨之劲全，炼精化气之功亦毕矣。

注 释

① 先后：原文“先天”误，改为“先后”。

② 九要：一要塌，二要扣，三要提，四要顶，五要裹，六要松，七要垂，八要缩，九要起钻落翻分明（详见《八卦拳学》第三章）。原文“锻练”当作“锻炼”。后同，不另注。

③ 六阳纯全：指乾卦而言，乾卦六爻皆阳，故曰纯全。乾为健、为阳，六阳纯全才能刚健之至（在此是比喻，指拳功练得像乾卦那样刚健，象征纯阳）。

## 二节 暗劲

暗劲者，拳中之柔劲也柔劲与软不同：软中无力，柔非无力也，即炼气化神、易筋之道也。先练明劲，而后练暗劲，即丹道小周天止火，再用大周天功夫之意。[①] 明劲停手，即小周天之沐浴也，暗劲手足停而未停，即大周天四正之沐浴[②]也。拳中所用之劲，是将形气神神即意也合住，两手往后用力拉回（内中有缩力），其意如拔钢丝。两手前后用劲，左手往前推，右手往回拉；或右手往前推，左手往回拉，其意如撕丝绵；又如两手拉硬弓，要用力徐徐拉开之意，两手或右手往外翻横，左手往里裹劲；或左手往外翻横，右手往里裹劲，如同练鼍形之两手，或是练连环拳之包裹拳。拳经云：“裹者如包裹[③]之不露。”两手往前推劲，如同推有轮之重物，往前推不动之意，又似推动而不动之意。两足用力，前足落地时，足跟[④]先着地，不可有声。然后再满足着地，所用之劲，如同手往前往下按物一般。后足用力蹬劲，如同迈大步过水沟之意。拳经云：“脚打采意不落空[⑤]”，是前足；“消息全凭后脚蹬”，是后足；“马有迹蹄之功”，皆是言两足之意也。两足进退，明劲暗劲，两段之步法相同。惟是明劲则有声，暗劲则无声耳。

注释

① 先练明劲……再用大周天功夫之意：丹道小周天止火再用大周天功夫，即道家内丹术功法的第一阶段，是炼精化气的过程，称之小周天。内丹术认为，人到成年，由于物欲耗损，先天之精气不足，必须用先天元气温煦它，使之充实，并使之重返先天精气，这就是小周天炼精化气过程的目的。完成这步功法，即可防病祛病。内丹术的特点，是要求内气在身体内按经络路线，循环周转，早期曾称之为“金液还丹”（宋·翁葆光《悟真篇注序》），也曾称为“河车搬运”（明·陆潜虚《玄肤论》），以后就借用天文学上“周天”一词（明·伍守阳《天仙正理》）。也有把小周天运转的路线，称为“天经”（元·俞玉吾《席上腐谈》）的。这种内气运转的小周天过程，是指内气从下丹田开始，逆督脉而上，沿任脉而下，经尾闾、夹脊、玉枕三关，上、中、下三丹田和上下鹊桥作周流运转。大周天是内丹术功法中的第二阶段，即炼气化神的过程，是在小周天阶段基础上进行的。内丹术认为，通过大周天，使神和气密切结合，相抱不离，以达到延年益寿的目的。所以称之为“大”，是由于它的内气流行，除在督任二脉外，也在其他经脉上流行，范围大于小周天，故称为大周天。它的运行路线，可因人而异，有沿奇经八脉运行，也有仅沿督任及其他一、二条经脉运行，甚至有沿十二正经中某几条经脉走的。拳功中之明劲相当丹道小周天功夫，暗劲相当于大周天功夫，所以先练明劲而后练暗劲。

② 沐浴：是泛指在练内丹功过程中，所应掌握的原则和要求，以及在练功中的某阶段所应掌握的一种火候。行沐浴尚有许多内容，在内丹功中如，要求清心寡欲，培养高尚品德。《丹法二十四诀》：“涤垢洗尘沐浴方，勿忘勿助合阴阳。诸缘不起丹元固，养得真灵花蕊芳。”又如，要求练功时能有“真气熏蒸”“神水灌溉”的感觉和效应；要求正确掌握在练功的

某阶段中所应掌握的火候，如小周天功文风武火呼吸法，“退阳火”“进阴符”过程中，行的“卯时沐浴”“酉时沐浴”中的呼文吸武（吸时着意而长，呼时无心而短）、呼武吸文（呼时着意而长，吸则无心而短）等皆属沐浴。在拳功中，明劲配合内功之停手即小周天之沐浴，暗劲配合内功之手足停而未停即大周天四正之沐浴。

③ 包裹：原文“包裹”误，改为“包裹”。

④ 足跟：原文“根”通“跟”，现改为“足跟”。后同，不另注。

⑤ 脚打採意不落空：原文“採”字误，应当为“踩”。此句与后文“消息全凭后脚蹬”是指前足和后足的发力动作要相互配合，后足蹬地是攻击的主要动力，此时需要前足主动配合向前踩去，且动作与意念相统一，才能形成整劲儿。

## 三节　化劲

化劲者，即炼神还虚，亦谓之洗髓之功夫也。是将暗劲练到至柔至顺，谓之柔顺之极处、暗劲之终也。丹经云：“阴阳混成，刚柔悉化，谓之丹熟。”柔劲之终，是化劲之始也。所以再加向上工夫[1]，用炼神还虚，至形神俱杳，与道合真，以至于无声无臭，谓之脱丹矣。拳经谓之“拳无拳，意无意，无意之中是真意”，[2]是谓之化劲炼神还虚，洗髓之工毕矣。化劲者，与练划劲不同，明劲暗劲，亦皆有划劲。划劲是两手出入起落俱短，亦谓之短劲，如同手往着墙抓去，往下一划，手仍回在自己身上来，故谓之划劲。练化劲者，与前两步工夫之形式无异，所用之劲不同耳。拳经云：“三回九转是一式”，是此意也。三回者，炼精化气，炼气化神，炼神还虚，即明劲、暗劲、化劲是也。三回者，明、暗、化劲是一式。九转者，九转纯阳也，化至虚无而还于纯阳，是此理也。所练之时，将手足动作，顺其前两步之形式，皆不要用力，并非顽空不用力，周身内外，全用真意运用耳。手足动作所用之力，有而若无，实而若虚。腹内之气，所用亦不着意，亦非不着意，意在积蓄虚灵之神耳。呼吸似有似无，与丹道工夫阳生至足，采取归炉、封固、停息③、沐浴之时，呼吸相同。因此，似有而无，皆是真息，是一神之妙用也。《庄子》云："真人之呼吸以踵"④，即是此意。非闭气也，用工练去，不要间断，练到至虚，身无其身，心无其心，方是形神俱妙，与道合真之境。此时能与太虚同体矣。以后炼虚合道，能至寂然不动，感而遂通，无入而不自得，无往而不得其道，无可无不可也。拳经云："固灵根而动心者，武艺也；养灵根而静心者，修道也"。⑤所以形意拳术与丹道合而为一者也。

注释

①工夫："工夫"同"功夫"，后同，不另注。

②拳经谓之……是真意：接上面的意思，是说拳练到此等功夫，身体内外一气，举手投足无不合道，又不为规矩所困囿。即不期然而然，也即古人比之写字步骤，首先要明规矩，而后守规矩，至纯熟而后脱规矩，脱规矩还要合规矩，这时，虽是无意之行动，却都是真意，这就是拳中之化劲，即到了随心所欲自由王国的高级功夫。

③归炉、封固、停息：皆内丹功中术语，道家将炼精化气分为六个步骤来锻炼，即"炼己""调药""产药""采药""封炉""炼药"。归炉、封固、停息是封炉中的功法，"归炉"系指真气产生充盈，用意念导引将其引入任脉进入运行轨道。"封固"指闭塞耳、目、口三关。停息是不行采药鼓嘘之法，并非闭息。《大成捷要》："药既皈炉，须用真意封固，停息以伏神气""将神气随呼入，俱伏于气穴，略停一息之顷，盘旋于丹田之上"，

然后再“用真意率领元气自坤腹逆上乾顶”。所以于封炉之中，仍要继续用紧撮谷道（也谓身根不漏）、鼻吸莫呼（也谓鼻根不漏），舌舐上腭（也谓舌根不漏），目不外视（谓眼根不漏）四法，要使一念不生，一意不散，六欲不起，六尘不染，命根方能固矣。在形意拳内功中，虽然吸取了上述道家功法，但非完全照搬，而是结合拳法，把道家内功法巧妙地运用在某些桩法和个别拳式之中。在这里是说练化劲时之呼吸，与上述归炉、封固、停息、沐浴之时，呼吸相同。

④ 真人之呼吸以踵：语出《庄子·大宗师》，原文是“古之真人…… 其息深深。真人之息以踵，众人之息以喉。”踵，足跟也。王穆夜说：“起息于踵，遍体而深。”刘武说：“息由口经喉，入肺，至足踵，因有经脉以通之。踵息之说，非不可能也。”其实踵息为“深息”，喉息为“浅息”，两者相对而言。历代丹书所说的踵息，多指深长的腹式呼吸。但在存想法中，也有用意念引导呼吸之气“直达”足踵的。在拳功中，化劲之呼吸，是和缓而深静，似有而无，寂然无声，无出无入，无往无来，呼吸匀细，遍体而深。在拳中所用之力达到若有若无，实而若虚，似有意而无意，无意之中有真意，与此意相同。

⑤ 固灵根……修道也：“灵根”一词出自道教《丹书》《黄庭经》：“玉池清水灌灵根”，“玉池清水上生肥，灵根坚固老不衰”，“灌溉五华植灵根”。灵根，指人有灵性之本，指身体。固本动心的练法是武艺。静心养本，神不外务的修炼方法，是为修道。

## 二 则

形意拳起点三体式，两足要单重，不可双重。单重者，非一足着地，一足悬起，不过前足可虚可实，着重在于后足耳。以后练各形式亦有双重之式。虽然是双重之式，亦不离单重之重心。以至极高、极俯、极矮、极仰之形式，亦总不离三体式单重之中心。故三体式为万形之基础也[1]。三体式单重者，得其中和之起点，[2]动作灵活，形式一气，无有间断耳。双重三体式者，形式沉重，力气极大。惟是阴阳不分，乾坤不辨，奇偶不显，刚柔不判，虚实不明，内开外合不清，进退起落动作不灵活。[3]所以形意拳三体式，不得其单重之中和，先后天亦不交，刚多柔少，失却中和，道理亦不明，变化亦不通，自被血气所拘，拙劲所捆，此皆是被三体式双重之所拘也。若得着单重三体式中和之道理，以后行之，无论单重、双重各形之式，无可无不可也。

注 释

① 万形之基础也：原文“万形基础之也”植字错位，改为“万形之基础也”。

② 三体式……之起点：三体式之中和，即指单重，虚实分明，前后相顾，内外一气，都是按阴阳之理而立论的，上下左右、进退起落动作，从容自然，气沉丹田，灵活沉稳，一动一静皆合于道。三体式为形意拳之基础，所以说这是得中和之起点。

③ 形式沉重……动作不灵活：此皆双重之弊，虚实不分，变化不灵，因为拙气拙力所捆，周身气行不能完整无缺，有失中和之道，初学者极应注意。

## 三 则

形意拳术之道，练之极易，亦极难。易者，是拳术之形式至易至简而不繁乱。其拳术之始终、动作运用，皆人之所不虑而知，不学而能者也。周身动作运用，亦皆年常[1]之理。惟人之未学时，手足动作运用无有规矩而不能整齐，所教授者，不过将人之不虑而知、不学而能、平常所运用之形式入于规矩之中，四肢动作而不散乱者也。果练之有恒而不间断可以至于至善矣。若到至善处，诸形之运用，无不合道矣。以他人观之，有一动一静、一言一默之运用，奥妙不测之神气，然而自己并不知其善于拳术也。因动作运用皆是平常之道理，无强人之所难，所以拳术练之极易也。《中庸》云："人莫不饮食也，鲜能知味也"。[②] 难者，是练者厌其拳之形式简单而不良于观，以致半途而废者有之，或是练者恶其道理平常而无有奇妙之法则，自己专好刚劲之气，身外又务奇异之形，故终身练之而不能得着形意拳术中和之道也。因此好高务远[③]，看理偏僻，所以拳术之道理，得之甚难。《中庸》云："道不远人，人之为道而远人"[④]，即此意义也。

注 释

① 年常：即常年，经常之意。

② 人莫不饮食也，鲜能知味也：是说，饮食是人人都会的事，而能品尝其中之味道的却很少。练拳也是一样，从拳术的套路来说，人都可以学会，但深入理解其中奥妙之道的，那是很少的。

③ 好高务远："好高务远"同"好高骛远"。"务"同"骛"，追求之意。

④ 道不远人，人之为道而远人：《礼记·中庸》："道不远人，人之为道而远人，不可以为道。"各种事物都有其自身之道，只要自己执意去寻，便能得道。拳术之道也是如此，形意拳之道至简且易，因为太简易，很多人不屑去学它，于是便永远不了解它。反之，如果把这极简单的形式，极易为的动作，纳入拳术中规则法度，日日钻研，久之，就会练到妙处，投足举手皆合于道了。

## 四则

形意拳术之道无他，神、气二者而已。丹道始终全仗[①]呼吸。起初大小周天，以及还虚之功者，皆是呼吸之变化耳。拳术之道亦然，惟有锻炼形体与筋骨之功。丹道是静中求动，动极而复静也。拳术是动中求静，静恒[②]而复动也。其初练之似异，以至还虚则同。形意拳经云："固灵根而动心者[③]，敌将也；养灵根而静心者[④]，修道也。"所以形意拳之道，即丹道之学也。丹道有三易：炼精化气、炼气化神、炼神还虚；拳术亦有三易：易骨、易筋、洗髓。三易即拳中明劲、暗劲、化劲也。练至"拳无拳，意无意，无意之中是真意"，亦与丹道炼虚合道相合也。丹道有最初还虚之功，以至虚极静笃之时，下元真阳发动，即速回光返照。凝神入气穴，息息归根。神气未交之时，存神用息，绵绵若存，念兹在兹，此武火[⑤]之谓也。至神气已交，又当忘息，以致采取归炉、封固、停息、沐浴、起火、进退、升降、归根。俟动而复炼，炼至不动，为限数足满止火，谓之坎离交媾[⑥]。此[⑦]为小周天以至大周天之工夫，无非自无而生有，由微而至著，由小而至大，由虚而积累，皆呼吸火候之变化。文武刚柔，随时消息，此皆是顺中用逆，逆中行顺，用其无过不及，中和之道也。此不过略言丹道之概耳。丹道与拳术并行不悖，故形意拳术，非粗率之武艺。余恐后来练形意拳术之人，只用其后天血气之力，不知有先天真阳之气，故发明形意拳术之道，只此神、气二者而已。故此先言丹道之大概，后再论拳术之详情。[⑧]

## 注 释

① 仗：凭仗。原文“丈”误，改为“仗”。

② 恒：原文“桓”误，改为“恒”。

③ 动心者：原文“经心动”误，改为“动心者”。

④ 静心者：原文“将心静”误，改为“静心者”。

⑤ 武火：《周易参同契》卷下第十，炼内丹功时之火候，即呼吸之法。分武火、文火，炼丹时之进程分为首、中、尾。首尾用武火，中间用文火。武火指火力猛，即有为之火；文火指活力弱，即无为之火。

⑥ 坎离交媾：坎离乃《周易》中的两种卦象，坎卦为☵，上下两阴爻，中间一阳爻；离卦为☲，上下两阳爻，中间一阴爻。魏伯阳《周易参同契》运用卦象作为丹术的说理工具。内丹术理论，认为人体在胚胎初兆时（先天），阴阳相合而不分离（“混沌”状态），此时阴阳纯全，浑然一气。乾卦☰表示其中纯阳之气；坤卦☷表示其中纯阴之质。以后在发育过程中，先天一气开始分化，阴阳相离。以八卦学说分析，即是，乾卦中间的阳爻“损落”一点，“陷入”坤卦中间阴爻。由于这“一点”的变迁，乾卦与坤卦发生了质的变化，乾卦因中爻损落一点，转化成离卦；坤卦因中爻陷进一点，转化成坎卦。从此阴阳分离，相隔而不相交，于是从“先天”转化为“后天”。“后天”的人体中，离卦属心，心属火，故称“离火”；坎卦属肾，肾属水，故称“坎水”。先天浑沦一气，阴阳纯全，有无穷的生命力；后天阴阳解体，日趋耗散，直至生命的终结。由后天返回先天，即“返本还原”，是内丹术理论上的原则，这“返本还原”，必须坎离相交，水火相济，使坎卦中爻一点向离卦中爻复位，转回到乾卦的原态。张紫阳《悟真篇》：“取将坎内中心实，点化离宫腹内阴”，即“取坎填离”。此亦是传统医学中“心肾相交”的理论，也称“坎离交媾”，实为诱使肾气上升，心液下降，使水火升降于中宫，阴阳混合于丹鼎（黄庭），系“小周天”功夫。原文“妒”字系误植，应为“媾”字。

⑦ 此：原文“国”误，改为“此”。

⑧ 这一篇是说丹道与拳术并行不悖的比较，至于其中情况，可参看本书后面第八章，本书作者练拳经验及三派之精意。两者之相合处，更可明了。

## 五 则

郭云深先生言：练形意拳术有三层之呼吸。

第一层练拳术之呼吸。将舌卷回，顶住上腭，口似开非开，似合非合，呼吸任其自然，不可着意于呼吸，因手足动作合于规矩，是为调息①之法则，亦即炼精化气之工夫也。

第二层练拳术之呼吸。口之开合、舌顶上腭等规则照前，惟呼吸与前一层不同。前者手足动作是调息之法则，此是息调②也。前者口鼻之呼吸，不过借此以通乎内外也。此二层之呼吸着意于丹田之内呼吸也。又名胎息③。是为炼气化神之理也。

第三层练拳术之呼吸，与上两层之意又不同。前一层是明劲，有形于外；二层是暗劲，有形于内。此呼吸虽有而若无，勿忘勿助之意思，即是神化之妙用也。心中空空洞洞，不有不无，非有非无，是为无声无臭，还虚之道也。此三种呼吸为练拳术始终本末之次序，即一气贯通之理，自有而化无之道也。

注 释

① 调息：调节呼吸的意思。

② 息调：呼吸调适也，与前不同，是着意于丹田之内呼吸，虽也有形，只是形于内而已，这是炼气化神之理。

③ 胎息：指仿效胎儿之呼吸。《摄生三要》上讲：“人在胎中，不以口鼻呼吸，惟脐带系于母之任脉。任脉通于肺，肺通于鼻，故母呼亦呼，母

吸亦吸，其气皆于脐上往来。”古人认为，胎儿通过脐带禀受母气。此气循行于任脉与督脉之中，弥散于胎儿全体，以供胎儿生长、发育之需，此称为胎息，也称“内呼吸”，是与口鼻的外呼吸相对而言的。胎儿出生以后，脐带剪断，从此，外呼吸取代了内呼吸。自此，后天用事，虽有呼吸往来，不得与元始祖气（母气）相通。在上述理论的指导下，静功意守下丹田，采用腹式呼吸，旨在通过外呼吸接通内呼吸，因脐部为一点元阳，所谓以“后天之气，接引先天之气”。腹式呼吸，气贯丹田，称之“息息归根”。这样做的目的，是希望“重返婴儿，再立胎息”，然而这不过是一种比喻。当意守下丹田，诱发出沿任、督二脉循行的感传现象，同时，在深度的入静状态中，呼吸极度缓慢，在自我体验上出现所谓“内气不出，外气不入”的感觉时，理论上即达到“再立胎息”的练功境界。古人认为，胎儿无意识，无情绪，没有精、气、神的外耗，生命里最为旺盛。练功达到“再立胎息”的境界，就意味着“返婴”，意味着取得最佳的保健效果。

## 六 则

人未练拳术之先，手足动作顺其后天自然之性，由壮而老，以至于死。通家逆运先天，转乾坤，扭气机，以求长生之术。拳术亦然，起点从平常之自然之道，逆转其机，由静而动，再由动而静，成为三体式。其姿式，两足要前虚后实，不俯不仰，不左斜，不右歪。心中要虚空，至静无物，一毫之血气不能加于其内，要纯任自然虚灵之本体，由着本体而再萌动练去，是为拳中纯任自然之真劲，亦谓人之本性，又谓之丹道最初还虚之理，亦谓之明善复初之道。其三体式中之灵妙，非有真传不能知也。内中之意思，犹丹道之点玄关①、《大学》之言明德②、《孟子》所谓养浩然之气，又与河图中五之一点、太极先天之气相合也。其姿式之中，非身体两腿站均当中之中也。其中，是用规矩之法则，缩回身中散乱驰外之灵气，返归于内，正气复初，血气自然不加于其内，心中虚空，是之谓中，亦谓之道心，因此再动。丹书云："静则为性，动则为意，妙用则为神。"所以拳术再动，练去谓之先天之真意，则身体手足动作，即有形之物，谓之后天。以后天合着规矩法则，形容先天之真意，自最初还虚，以至末后还虚，循环无端之理，无声无臭之德，此皆名为形意拳之道也。其拳术最初积蓄之真意与气，以致满足，中立而不倚，和而不流，无形无相，此谓拳中之内劲也内家拳术之名，即此理也。其拳中之内劲，最初练之，人不知其所以然之理，因其理最微妙，不能不详言之，免后学入于岐[3]途。初学入门，有三害九要[4]之规矩。三害莫犯，九要不失其理《八卦拳学》详之矣。手足动作合于规矩，不失三体式之本体，谓之调息。练时口要似开非开，似合非合，纯任自然。舌顶上腭，要鼻孔出气。平常不练时，以至方练完收式时，口要闭，不可开，要时时令鼻孔出气。说话、吃饭、喝茶时，可开口，除此之外，总要舌顶上腭，闭口，令鼻孔出气，谨要！至于睡卧时，亦是如此。练至手足相合，起落进退如一，谓之息调。手足动作，要不合于[5]规矩，上下不齐，进退步法错乱，捧动[6]呼吸之气不均，出气甚粗，以致胸间发闷，皆是起落进退、手足步法不合规矩之故也。此谓之息不调。因息不调，拳法、身体不能顺也。拳中之内劲，是将人之散乱于外之神气，用拳中之规矩，手足身体动作，顺中用逆，缩回于丹田之内，与丹田之元气相交，自无而有，自微而著，自虚而实，皆是渐渐积蓄而成，此谓拳之内劲也。丹书云："以凡人之呼吸，寻真人之呼处"；《庄子》云："真人呼吸以踵"，亦是此意也。拳术调呼吸，从后天阴气所积，若致小腹坚硬如石，此乃后天之气勉强积蓄而有也。总要呼吸纯任自然，用真意之元神，引之于丹田。腹虽实而若虚，有而若无。《老子》云："绵绵若存"；又云："虚其心，而灵性不昧；振道心，正气常存"，亦此意也。此理即拳中内劲之意义也。

注 释

① 玄关：即玄牝。其词最早见于《老子·六章》，如"谷神不死，是谓玄牝。玄牝之门，是谓天地根。绵绵若存，用之不勤。"意思是，虚空的变化是永不停歇的，称它为"玄牝"。这幽深的生殖之门，是天地的根源。它连绵不绝地永存着，作用无穷无尽。道教指"玄牝"为人体生命之根本。内丹家对玄牝的理解，有两种见解，一种认为是虚指的部位，一种认为有具体的位置。虚指部位，认为它并非实体，也不定位，是不能以形体色相求得的，只是在练功中体现它的存在。《规中指南》："此一窍亦无边傍，更无内外，若以形体色相求之，成大错谬矣。"所以它本无形，"意到即开。开合有时，百日立基，养成气母，虚室生白，自然见之。"指明它是在练功者意和气的作用下产生的一种虚相，同时还必须经过相当长时间的锻炼，待气母养成后，才能"开"而出现。《金仙证论》："机发则成窍，机息则渺茫。"说明玄牝不是在平时所能看得见摸得着的，必须练功到一定程度，待内部气机发动后，才能有此玄牝的出现；等到气机平静后，则又渺茫而不知所在。《道窍谈》："玄关一窍，自虚无中生，不居于五脏、肢体间，今以其名而言，此关为玄妙机关，故曰玄关。"在练功中促使玄牝的出现并取得效益，丹家认为主要在于做到安静虚无，即可使玄牝出现。《脉望》："玄牝以静极而见也。"《皇极阖辟仙经·添油接命章》："学者到虚极静笃时，此窍乃现。"《道窍谈》："神凝气合之时，忽从观中化出，其大无外，其小无内，则玄牝现象也。"另一种理解，认为玄牝有具体位置，认为玄牝即丹田，丹功古籍中所谓的"规中、深渊、鄞鄂、北斗、黄庭、气穴、玄关、玄牝、炉鼎、无窍、内肾、乾鼎、坤腹、祖窍"等等，都是指的丹田。

其中玄关、丹田二名最为常用。

② 《大学》之言明德："明德"，《礼记·大学》中语。宋朱熹在《大学章句》中讲：明德者，人之所得乎天，而虚灵不昧，以具众理而应万事者也。但为气禀所拘，人欲所蔽，则有时而昏，然其本体之明，则有未尝息者，故学者当因其所发而遂明之，以复其初也。

③ 岐：同"歧"。

④ 三害：一曰努气，二曰拙力，三曰腆（音 tiǎn）胸提腹。九要：一要塌，二要扣，三要提，四要顶，五要裹，六要松，七要垂，八要缩，九要起钻落翻分明（详见《八卦拳学》）。

⑤ 不合于：原文"合不于"误，改为"不合于"。

⑥ 摬动：摬，音 qiān，古同"牵"。

## 七 则

形意拳之用法有三层：有有形有相①之用；有有名有相无迹之用；有有声有名无形之用；有无形无相无声无臭之用。拳经云："起如钢锉起者去也，落如钩竿落者回也"；"未起如摘子，未落如坠子"；"起如箭，落如风，追风赶月不放松"；"起如风，落如箭，打倒还嫌慢"；"足打七分手打三，五行四稍要合全。气连心意随时用，硬打硬进无遮拦"；"打人如走路，看人如蒿②草。胆上如风响，起落似箭钻"；"进步不胜，必有寒食之心"。此是初步明劲，有形有相之用也③。到暗劲之时，用法更妙："起似伏龙登天，落如霹雷击地。起无形，落无踪，起意好似卷地风。起不起，何用再起；落不落，何用再落。低之中望为高，高之中望为低。④打起落如水之翻浪。不翻不躜，一寸为先。脚打七分手打三，五行四稍要合全。气连心意随时用，打破身式无遮拦"。此是二步暗劲形迹有无之用也⑤。"拳无拳，意无意，无意之中是真意。拳打三节不见形，如见形影不为能”，随时而发；一言一默，一举一动，行止坐卧，以致饮食茶水之间皆是用。或有人处，或无人处，无处不是用，所以无入而不自得，无往而不得其道，以致寂然不动，感而遂通也。此皆是化劲神化之用也⑥。然而所用之虚实奇正，亦不可专有意用于奇正虚实。虚者，并非专用虚于彼。己手在彼手之上，用劲拉回，如落钩竿，谓之实；己手在彼手之下，亦用劲拉回，彼之手挨不着我的手，谓之虚。并非专有意于虚实，是在彼之形式感触耳。奇正之理亦然：奇无不正，正无不奇；奇中有正，正中有奇，奇正之变，如循环之无端，所用不穷也。拳经云：“拳去不空回，空回总不奇”，是此意也。

注 释

① 相：原文“像”当作“相”。

② 蒿：原文“嵩”误，改为“蒿”。

③ 有形有相之用也：此句以上，是第一层明劲之用法，说明形意拳起钻落翻俱要辨清，起落钻翻均要迅速，要如箭似风，起是打，落也是打，手起气也起，手落气也落，所以起落钻翻既有形也讲气，要形随气腾，形动气发，内中意动即真气已动，内外一气，力达四稍，才能发劲整齐，才能动作迅速，才能追风赶月，才能将人放出。

五行：分内五行，指心、肝、脾、肺、肾。外五行，指目、鼻、耳、口舌、人中。四稍：舌为肉稍，齿为骨稍，发为血稍，甲为筋稍。无遮拦；犹言拦挡不住。寒食：此处应作胆怯、害怕解释。

④ 低之中望为高，高之中望为低：在技击中的战术方法，望高打低，望低打高。例如对方站势高于我，我即可用低势取起钻之法攻其高势。高之中望为低，是对方站势低于我，我即可采适宜的角度向前下方击去。

⑤ 形迹有无之用也：原文“形迹有无之用也”植字有误，当为“有形无迹之用也”。此句以上，是说第二层暗劲用法，内中意动而气未发，内外一气，顺乎自然，起无声，落无形，打起落如水之翻浪，毫不停息，无处不是打，无时不是打。不钻不翻即无形无迹。一寸为先：即寸步，是说近打快攻。

⑥ 化劲神化之用也：此句以上，是说第三层化劲无形无相，无声无臭之用。是内劲功法的高级阶段，正如文中所说，拳无拳意无意，拳打三节不见形影，一举一动或有人处，或无人处，无处不是用，行止坐卧无往而不合其道，无入而不自得，以致寂然不动，感而遂通。不见不闻即可知觉，并能应手化而击之。如落钩竿：形容手回来时要挂打对方，起是打落也是打，即拳去不空回之意。

## 八 则

形意拳术，明劲是小学工夫。进退起落，左转右旋，形式有间断，故谓之小学。暗劲是大学之道。上下相连，手足相顾，内外如一，循环无端，形式无有间断，故谓之大学。此喻是发明其拳所以然之理也。《论语》云：“一以贯之”，此拳亦是求一以贯之道也。阴阳混成，刚柔相合，内外如一，谓之化劲。用神化去，至于无声无臭之德也。《孟子》云：“大而化之之谓圣。圣而不可知之之谓神。”[①]丹书云：“形神俱[②]杳，乃与道合真之境。”拳经云：“拳无拳，意无意，无意之中是真意。”如此者，不见而章，不动而变，无为而成，寂然不动，感而遂通也。[③]《老子》云：“得其一而万事毕。”人得其一谓之大，拳中内外如一之劲用之于敌，当刚则刚，当柔则柔，飞腾变化，无入而不自得，亦无可无不可也。此之谓一以贯之。[④]一之为用，虽然纯熟，总是有一之形迹也，尚未到至妙处，因此要将一化去，化到至虚无之境，谓之至诚至虚至空也。[5] 如此“大而化之之谓圣，圣而不可知之之谓神”之道理，得矣！

注 释

① 大而化之……之谓神：这是《孟子·尽心上》的引文。大意是说，对于各种至博且大的道，能研究通透，随意变化应用是谓之圣。圣明达到使人莫测高深的境界便谓之神。

② 俱：原文“具”同“俱”。后同，不另注。

③ 拳无拳……感而遂通也：大意是说，拳术练至上下相随，内外如一，随意而用，处处得心应手，即有规无须再循规，无意之中自合规，如此则真意存乎其中。这样才能做到不见而章，不动已变，虽有迹而无形，无可无不可，举手投足皆能中道。

④ 得其一而万事毕……此之谓一以贯之：大意是说，得其一，一即是道，得其道无所不通，道大而无外，可包容万物。此处指拳术之道得之，则能将内外如一（指拳中之整劲）之劲，用于对方，便能刚柔相济，瞬息变化无穷，无不得心应手。“得其一而万事毕”句，源自《老子》卅九章“天得一以清，地得一以宁，神得一以灵，谷得一以盈，万物得一以生，侯王得一以为天下贞。”原文“一以贯之”误，改为“一以贯之”。

⑤ 一之为用……至虚至空也：是说内外一致的用法，还是有形迹可循的，不为至妙，只可谈到纯熟应用自如，如能将一化去，做到无形无迹，无声无臭，不见不闻即可知觉，将内外之劲化到至虚无之境，才能谓之上乘工夫，也是还虚之道。



## 九 则

拳术之道，要自己锻炼身体，以却病延年，无大难法。若与人相较，则非易事。第一存心谨慎，要知己知彼，不可骄矜，骄矜必败。若相识之人，久在一处，所练何拳，艺之深浅，彼此皆知。或喜用脚，或善用手，皆知其大概。谁胜谁负，尚不易言。若与不相识之人，初次见面，彼此不知所练何种拳术，所用何法。若一交手，其艺浅者，自立时相形见绌。若皆是明手，两人相较，则颇不易言胜。所宜知者，一觌面先察其人精神是否虚灵，气质是否雄厚，身躯是否活泼，再察其言论或谦或矜，其所言与其人之神气形体动作是否相符，观此三者，彼之艺能，知其大概矣。及相较之时，或彼先动，或己先动，务要辨地势之远近、险隘广狭死生。若二人相离极近，彼或发拳，或发足，皆能伤及吾身，则当如拳经云："眼要毒，手要奸奸即巧也，脚踏中门随里蹚[①]。眼有监察之精，手有拨转之能，足有行程之功。两肘不离肋[②]，两手不离心，出洞入洞紧随身。乘其无备而攻之，由其不意而出之。"此是近地以速之意也。两人相离之地远，或三四步，或五六步不等，不可直上，恐彼以逸待劳，不等己发拳，而彼先发之矣。所以方动之时，不要将神气显露于外，似无意之情形，缓缓走至彼相近处，相机而用。彼动机方露，己即速扑上去，或掌或拳，随左打左，随右打右，彼之刚柔，己之进退，起落变化，总相机而行之，此谓远地以缓也。己所立之地势，有利不利，亦得因敌人而用之，不可拘着。程廷华先生亦云："与彼相较之时，看彼之刚柔，或力大，或奸巧；彼刚吾柔，彼柔吾刚；彼高吾低，彼低吾高；彼长吾短，彼短吾长；彼开吾合，彼合吾开；或吾忽开忽合，忽刚忽柔，忽上忽下，忽短忽长，忽来忽去，不可拘使成法，须相敌之情形而行之。虽不能取胜于敌，亦不能骤然败于敌也。总以谨慎为要。

注 释

① 随里蹚：原文“虽”误，改为“随”。

② 肋：原文“助”误，改为“肋”。

## 十 则

拳经云：“上下相连，内外合一。”俗云上下是头足也，亦云手足也。按拳中道理言之，是上呼吸之气与下呼吸之气相接也，此是上下相连，心肾相交也。内外合一者，是心中神意下照于海底，腹内静极而动，海底之气微微自下而上，与神意相交，归于丹田之中，运贯于周身，畅达于四肢，融融和和，如此方是上下相连，手足自相然顾，合内外而为一者也。

## 十一则

练拳术不可固执不通[①]。若专以求力，即被力拘；专以求气，即被气所拘[②]；若专以求沉重，即为沉重所捆坠；若专以求轻浮，神气则被轻浮所散。所以然者，练之形式顺者，自有力；内里中和者，自生气；神意归于丹田者，身自然重如泰山；将神气合一化成虚空者，自然身轻如羽。故此不可专求。虽然求之有所得焉，亦是有若无，实若虚，勿忘勿助，不勉而中，不思而得，从容中道而已。[③]

注 释

① 通：原文“所”误，改为“通”。

② 拘：原文“构”误，改为“拘”。

③ 本则大意是说，练拳时，按着规矩，顺应自然，不用劲而内劲自长，神形合一，内外一致，从容中道，不思而得矣。勿忘勿助是既不忘怀，也不着意，也是顺其自然之意。

## 十二则

形意拳术之横拳，有先天之横，有后天之横，有一行之横。先天之横者，由静而动，为无形之横拳也。横者，中也。《易》云："黄中通理，正位居体"①，即此意也。拳经云："起无形""起为横"，皆是也此起字是内中之起，自虚无而生有，真意发萌之时，在拳中谓之横，亦谓之起。此横有名无形，为诸形之母也。万物皆含育于其中矣。其横则为拳中之太极也②。后天之横者，是拳中外形手足，以动即名为横也。此横有名有式，无有横之相也。因头手足肩肘胯膝名七拳③外形七拳，以动即名为横，亦为诸式之干也，万法亦皆生于其内也。

注 释

① 黄中……正位居体：黄中通理者，以黄居中，能通晓四方之物理，正位居体是居中得正，是正位，处上体之中是居体，比之横拳，横属土，居中，在腹内属脾。脾胃和缓，便能燮理五脏六腑；反之，脾位伤则五脏失调，四肢百骸亦无所措施。练拳如横拳不和则百式无形。皆言地位之重要。

② 其横则为拳中之太极也：太极生一气，一气生阴阳，阴阳生万物，所以太极是万物之根源。先天之横属土，万物土中生，一切拳法由横而生，横拳是诸形之根源，故谓"横则为拳中之太极也"。说明横拳在形意拳中之地位是极为重要的。

③ 头手足肩肘胯膝名七拳：原文中"○"当为"胯"字。

## 十三则

形意拳术，头层明练，谓之炼精化气，为丹道中之武火也；第二层暗劲，谓之炼气化神，为丹道中之文火也；三层化劲，谓之炼神还虚，为丹道中火候纯也。火候纯而内外一气成矣，再练亦无劲，亦无火，谓之炼虚合道，以致行止坐卧，一言一默，无往而不合其道也。拳经云："拳无拳，意无意，无意之中是真意"，至此无声无臭之德至矣。先人诗曰："道本自然一气游，空空静静最难求。得来万法皆无用，身形应当似水流。"

## 十四则

拳意之道，大概皆是河洛之理，以之取象命名，数理兼该，顺其人之[1]动作之自然，制成法则，而人身体力行之。古人云：天有八风，易有八卦，人有八脉，拳有八势，是以拳术有八卦之变化。八卦者，有圆之象焉。天有九天，星有九野，地有九泉，人有九窍九数，拳有九宫，故拳术有九宫之方位。九宫者，有方之义焉。古人以九府而作圜法，以九室而作明堂，以九区而作贡赋，以九军而作阵法，以九窍九数九数者，即九节也。头为稍节，心为中节，丹田为根节；手为稍节，肘为中节，肩为根节；足为稍节，膝为中节，胯[2]为根节。三三共九节也而作拳术，无非用九，其理亦妙矣。河之图，洛之书，皆出于天地自然之数，禹之范，大挠之历[3]，皆圣人得于天地之心法。余蒙老农先生所授之九宫图，其理亦出于此，而运用之神妙，变化莫测。此图之道，夫妇之愚可以与知与能，及其至也，虽圣人亦有所不知不能矣。其图之形式，是飞九宫之道，一至九，九还一之理。用竿九根布之，四正四根，四隅四根，当中一根，竿不拘粗细。起初练之，地方要宽大，竿相离要远，大约或一丈之方形，或一丈有余，或两丈，不拘尺寸。练之已熟，渐渐而缩小，缩至两竿相离之远近仅能容身穿行往来，形如流水，旋转自如，而不碍所立之竿。绕转之形式，用十二形：或如鹞子入林翻身之巧，或如蛇拨草入穴之妙，或如猿猴纵跳之灵活。各形之巧妙，无所不有也。此图之效力，不会拳术者，按法走之可以消食，血脉流通；若练拳术而步法不活动者，走之可以能活动；练拳术身体发拘者，走之身体可以能灵通；练拳术心中固执者，走之可以能灵妙。无论男女老少，皆可行之，可以却病延年④，强健身体，等等妙术，不可言宣。拳经云“打拳如走路，看人如蒿草。武艺都道无正经，任意变化是无穷。岂知吾得婴儿玩，打法天下是真形。三回九转是一式”之理，亦皆在其中矣。此图明数学者，能晓此图之理；练八卦拳者，能通此图之道也。此图亦可作为游戏运动。走练之时，舌顶上腭；不会练拳术者，行走之时，两手曲伸，可以随便；要会拳术者，按自己所会之法则运用可也。无论如何运动，左旋右转，两手、身体，不能动着所立之竿为要。此图不只运动身体已也，而剑术之法，亦含藏于其中矣。此九根竿之高矮，总要比人略高。可以九个泥垫或木垫⑤，将竿插在内，可以移动。练用时可分布九宫，不练时可收在一处。若地基方便，不动亦可。若实在无有竿之时，砖石分布九宫亦可。若无砖石，画九个小圈⑥走之亦无不可。总而言之，总是有竿练之为最妙。此法走练，起初按一、二、三、四、五、六、七、八、九之路，反之九、八、七、六、五、四、三、二、一。此图外四正四隅八根竿，比喻八卦，当中一根，又共比喻九个门。要练纯熟，无论何门，亦可以起点，要之归原，不能离开中门，即中五宫也。走之按一至二，二至三，至九，返之九至八，八至七，又[7]还于一之数。此图一圈一根竿也，一至九，九返一，即所行之路也。名为飞九宫也，亦名阴八卦也。河图之理藏之于内，洛书之道形之于外也。所以拳术之道体用俱备，数理兼该，性命双修，乾坤相交，合内外而为一者也。走练此图之意，九竿如同九人，如一人之敌九，左右旋转[8]，曲伸往来，飞跃变化，闪展腾挪，其中之法则，按着规矩；其中之妙用，亦得要自己悟会耳。其图之道，亦和于乾坤二卦之理。六十四卦之式，皆含在其中矣。在人贤者识其大者，不贤者识其小者，得之莫不有拳术之奥妙之道焉（见图）。

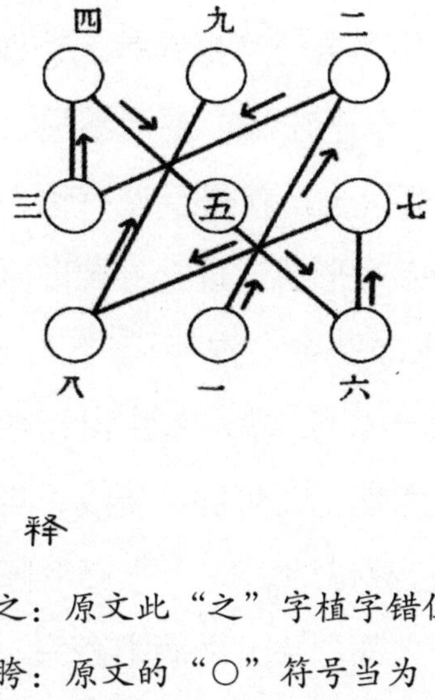


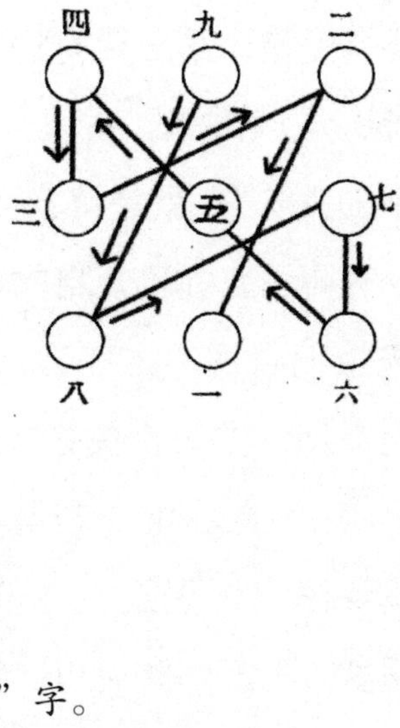


注释

①之：原文此“之”字植字错位。

②胯：原文的“○”符号当为“胯”字。

③大挠之历：黄帝臣，始作甲子，使干支相配以名日。

④延年：原文“廷”字误，改为“延”。

⑤泥垫或木垫：原文“蛰”字误，改为“垫”。

⑥小圈：原文“围”字误，改为“圈”。

⑦又：原文“叉”字误，改为“又”。

⑧旋转：原文“族”字误，改为“旋”。

## 述白西园先生言 一则

### 一则

白西园先生云：练形意拳之道，实是却病延年、修道之学也。余自幼年行医，今年近七旬矣，身体动作轻灵，仍似当年强壮之时也，并无服过参茸保养之物。此拳之道，养气修身之理，实有确据，真有如服仙丹之效验也。惟练拳易，得道难；得道易，养道尤难。[①] 所以练拳术第一要得真传，将拳内所练之规矩，要知得的确，按次序而练之。第二要真爱惜；第三要有恒心，作为自己终身修养之功课也。除此三者之外，虽然讲练，古人云："心不在焉，视而不见，听而不闻，食而不知其味"，就是终身不能有得也。就是至诚有恒心所练之道理，虽少有得焉，亦不能自骄。所练之形式道理，亦要时常求老师或诸位老先生们看视。古人云："人非圣贤，谁能无过。"若以骄，素日所得之道理，亦时常失去。道理一失[②]，拳术就生出无数之病来即拳术之病非人所得吃药之病也。若是明显之病，还可容易更改，老师工夫大小、道理深浅可以更正也。若是暗藏错综之病，非得老师道理极深，经验颇富，不能治此病也。错综之病，头上之病不在头，脚上之病不在脚，身内之病不在内，身外之病不在外，此是错综之病也。暗藏之病，若隐若现，若有若无，此病于平常所练之人，亦看不出有病来，自己觉着亦无毛病，心想自己所练的道理亦到纯熟矣，岂不知自己之病入之更深矣，非得洞明其理，深达其道者，不能更改此样病也。若不然，就是昼夜习练，终身不能入于正道矣。此病谓之俗自然劲也。与写字用工入了俗派，始终不能长进之道理相同也。所以练拳术者，练一身极好之技术，与人相较，亦极其勇敢，倒容易练[3]，十人之中可以练成七八个矣。若能教育人者，再自己工夫极纯，身体动作极其和顺，析理[4]亦极其明详，令人容易领会，可以作后学之表率，如此人者，十人之中难得一二人矣。练拳术之道理，神气贯通，形质和顺，刚柔曲折，法度长短，与曾文正公谈书法，言乾坤二卦之理相同也。

**注 释**

① 得道易，养道尤难：就是说，拳术之道是不容易的。但在得道以后，如何真正爱护珍惜还要看自己的修养了，这是比较难的。拳术之道包括拳艺及武德，二者缺一不可，高超的拳艺难得，而以德性来修持非有终身不辍的精神不可，故云难养。

② 道理一失：原文“以”字误，改为“一”。

③ 倒容易练：原文“到”字误，改为“倒”。

④ 析理：原文“折”字误，改为“析”。

## 述刘奇兰先生言　三则

### 一则

刘奇兰先生云：形意拳术之道，体用莫分，自己练者为体，行之于彼为用。自己练时，眼不可散乱，或[1]视一极点处，或看自己之手，将神气定住，内外合一，不可移动。要用之于彼，或看彼上之两眼，或看彼之中心，或看彼下之两足。不要站成定式[2]，不可专用成法，或掌或拳，望着就使，起落进退，变化不穷，是用智而取胜于敌也。若用成法，即能胜于人，亦是一时之侥幸耳。所应晓者，须固住自己神气，不使散乱，此谓无敌于天下也。

注释

① 或：原文“将”字误，改为“或”。

② 不要站成定式：原文“不要站定成式”植字错位。

## 二 则

形意拳经云：“养灵根而静心者，修道也；固灵根而动心者，敌将也。”敌将之用者，“起如钢锉，落如钩竿”，“起似伏龙登天，落如霹雷击地。起无形，落无踪，去意好似卷地风①”，“束身而起，长身而落”，“起如箭，落如风，追风赶月不放松。起如风，落如箭，打倒还嫌慢”，“打人如走路，看人如蒿草。胆上如风响，起落似箭钻”，“遇敌要取胜，四梢俱要齐，是内外诚实如一也”，“进步不胜，必有胆寒之心也”。此是固灵根而动心者，敌将所用之法也。

注释

① 去意好似卷地风：原文“起好似箭卷地风”植字有误，当作“去意好似卷地风”。

## 三 则

道艺之用者，心中空空洞洞，不勉而中，不思而得，从容中道，而时出之。“拳无拳，意无意，无意之中是真意”。心无其心，心空也；身无其身，身空也。古人云：“所谓空而不空，不空而空，是谓真空。虽空，乃至实至诚也。”[①] 忽然有敌人来击，心中并非有意打他无意即无火也，随彼意而应之。拳经云：“静为本体，动为作用”，即是寂然不动，感而遂通，无可无不可也。此是养灵根而静心者所用之法也。夫练拳，至无拳无意之境，乃能与太虚同体，故用之奥妙而不可测。然能至是者，鲜矣。

注 释

① 空而不空……乃至实至诚也：是说练拳至空而不空，空即虚，虚者实之对，不空即实，不空而空，是说实而又虚，是谓真空，真空便可容彼来入，随彼意而应之，感而遂通。就是说非空之空谓之真空，对于非有之有曰妙有，自然不用之用亦称为妙用了。这就与心中空空洞洞，不思而得，从容中道，而时出之之意相同。

# 述宋世荣先生言　三则

## 一 则

宋世荣先生云：形意拳之道，是先将拳术已成之着法，玩而求之，而有得之于心焉。或吾胸中有千万法可也，或吾胸中浑浑沦沦，无一着法亦可也。无一法者，是一气之合也，以致于应用之时，无可无不可也；有千万法者，是一气之流行也，应敌之时，当刚则刚，当柔则柔，起落进退变化，皆可因敌而用之也。譬如千万法者，是一形一着法也，一着法之中，亦皆能生生不已也。譬如练蛇形，蛇有拨草之精，至于蛇之盘旋曲伸、刚柔灵妙等式，皆伊之性能也。兵法云：“譬如①常山蛇阵式，击首则尾应，击尾则首应，击其中则首尾皆应。”所以练一形之中，将伊之性能格物到至善处②，用之于敌，可以循环无端，变化无穷，故能时措之宜也。一形之能力如此，十二形之能力皆如是也。内中之道理，物之伸者，是吾拳之长劲也；物之曲者，是吾拳之短劲也，亦吾拳之划劲也；物之曲曲弯转者，是吾拳之柔劲也；物之往前直去猛快③者，是吾拳之刚劲也。虽然一物之性，能刚柔曲直、纵横变化、灵活巧妙，人有所不能及也。所以练形意拳术者，是格物④十二形之性能而得之于心，是能尽物之性也，亦是尽己之性也。因此练形意拳者，是效法天地化育万物⑤之道也。此理存之于内而为德，用之于外而为道也。又内劲者，内为天德；外法者，外为王道。所以此拳之用⑥，能以无可无不可也。

注 释

① 譬如：原文“霹”字误，应改为“譬”。

② 格物到至善处：格，至也。物，犹事也，穷至事物之理，即是说把事物之至理无不研究到其极处，自己得之于心者，也无不尽也。

③ 猛快：原文“猛快”误，改为“猛快”。

④ 格物：原文“格渐”误，改为“格物”。

⑤ 效法天地化育万物：本《中庸》第二十二章言天道之内容。这两句是说天地化育万物，让万物各尽其性能。练拳应效法天地化育万物，首先将拳中各形式所赋予的“物”的性能，要察之仔细，无处不明了，假物之性为我之性，使神意形态无处不恰当，练拳时，尽物之性能而化之，使之变化无

穷、各遣其极，应用时取胜于人便能得心应手。例如文中蛇形之例便是，其他十二形之能力亦皆如是。

⑥此拳之用：原文“此拳之用用”改为“此拳之用”。

## 二 则

形意拳术，有道艺、武艺之分，有三体式单重、双重之别。练武艺者，是双重之姿式，重心在于两腿之间，全身用力，清浊不分，先后天不辨，用后天之意，引呼吸之气，积蓄于丹田之内，其坚如铁石，周身沉重，站立如同泰山一般。若与他人相较，不怕足踢[①]、手击，拳经云：“足打七分手打三，五行四稍要合全。气连心意随时用，硬打硬进无遮拦。”此谓之浊源，所以为敌将之武艺也。若练到至善处，亦可以无敌于天下也。练道艺者，是三体式单重之姿式[②]，前虚后实，重心在于后足，前足亦可虚、亦可实，心中不用力，先要虚其心，意思与丹道相合。丹书云：“静坐要最初还虚，不还虚不能见本性，不见本性，用工皆是浊源，并非先天之真性也。”拳术之理亦然，所以亦要最初还虚，不用后天之心意，亦并非全然不用。要全不用，成为顽空矣。所以用劲者，非用后天之拙力，皆是规矩中之用力耳。还虚者，丹书云：“中者，虚空之性体也。执中者，还虚之功用也。”是故形意拳术起点有无极、太极、三体之式，其理是最初还虚之功用也[③]。丹书云：“道自虚无生一气，便从一气产阴阳。阴阳再合成三体，三体重生万物张”，是此意也。三体者，在身体，外为头手足也；内为上、中、下三田[④]也；在拳中，形意、八卦、太极三派之一体也。虽分三体之名，统体一阴阳也。阴阳总归[⑤]一太极也，即一气也，亦即形意拳中起点无形之横拳也。此横拳者，是人本来之真心，空空洞洞，不挂着一毫之拙力，至虚至无，即太极也，所谓无名天地之始。但此虚无太极不是死的，乃是活的，其中有一点生机藏焉，此机名曰先天真一之气，为人性命之根，造化之源，生死之本也。此虚无中含此一气，不有不无，非有非无，非色非空，活活泼泼的，又曰真空。真空者，空而不空，不空而空，所谓有名万物之母。虚无中，既有一点生机在内，是太极含一气，一自虚无兆质矣。此太极含一气，是丹书所说的静极而动，是虚极静笃时，海底中有一点生机发动也。邵子[⑥]云："一阳初发动，万物未生时"也。在拳术中，虚极时，横拳圆满无亏，内中有一点灵机生焉。丹书云："一气既兆质，不能无动静。"动为阳，静为阴，是动静既生于一气，两仪因此一气开根也。动极而静，静极而动，劈崩蹿炮，起蹿落翻，精气神，即于此而寓之矣。故此三体式内之一点生机[⑦]发动，而能至于无穷，所以谓之道艺也。

注释

①足踢：原文"锡"字误，改为"踢"。

②单重之姿式：原文"无"字误，改为"之"。

③还虚之功用也：原文"还之功用也"误，改为"还虚之功用也"。

④三田：上丹田指上黄庭，即脑也。中丹田指中黄庭，即脾也。下丹田指下黄庭，即小腹也。

⑤阴阳总归：原文"阴归总"误，改为"阴阳总归"。

⑥邵子：指邵雍，北宋哲学家，字尧夫，谥康节。范阳（今河北省定兴县西南）人。晚徙河南，年六十七岁卒。著有《观物篇》《渔樵问答》《先天图》《皇极经世》等书。

⑦生机：原文"生候"误，改为"生机"。

## 三 则

静坐工夫以呼吸调息①，练拳术以手足动作为调息。起落进退，皆合规矩，手足动作，亦俱和顺。内外神形相合，谓之息调②。以身体动作旋转，纵横往来，无有停滞，一气流行，循环无端，谓之停息，亦谓之脱胎神化也。虽然一是动中求静，一是静中求动，二者似乎不同，其实内中之道理则一也。

**注 释**

① 调息：调节呼吸也。任其自然，不要着意。

② 息调：呼吸调适也。《云笈七签》气运息调，荣枝叶也。是着意于丹田之内呼吸，实即腹式呼吸。

# 述车毅斋先生言　一则

## 一 则

车毅斋先生云：形意拳之道，合于中庸之道也。其道中正广大，至易至简，不偏不倚，和而不流，包罗万象，体物不遗，放之则弥六合，卷之则退藏于密，其味无穷，皆实学也。惟是起初所学，先要学一派，一派之中，亦得专一形而学之。学而时习之，习之已熟，然后再学他形。各形纯熟，再贯串统一而习之。习之极熟，全体各形之式，一形如一手之式，一手如一意之动，一意如同自虚空发出。所以练拳学者，自虚无而起，自虚无而还也。到此时，形意也，八卦也，太极也，诸形皆无，万象皆空，混混沦沦，一浑气然，何有太极，何有形意，何有八卦也。所以练拳术不在形式，只在神气圆满无亏而已。神气圆满，形式虽方，而亦能活动无滞。神气不足，就是形式虽圆，动作亦不能灵通也。拳经云："尚德不尚力，意在蓄神耳。"用神意合丹田，先天真阳之气，运化于周身，无微不至，以至于应用，无处不有，无时不然，所谓物物一太极，物物一阴阳也。《中庸》云："鬼神之为德，其盛矣乎。视之而弗见，听之而弗闻，体物而不可遗"，[①] 亦是此拳之意义也。所以练拳术者，不可守定成规成法而应用之。成法者，是初入门教人之规则，可以变化人之气质，开人之智识，明人之心性，是化除后天之气质，以复其先天之气也。以至虚无之时，无所谓体，无所谓用，拳经云："静为本体，动为作用"，是体用一源也。体用分言之：以体言，行止坐卧，一言一默，无往而不得其道也；以用言之，无可无不可也。余幼年间，血气盛足，力量正大，法术记的颇多，用的亦熟亦快。每逢与人相比较之时，观彼[②]之形式，可以用某种手法正合宜，技术浅者，占人一气之先，往往胜人；遇着技术深者，观其身式，用某种手法亦正合宜，一到彼之身边，彼即随式而变矣。自己的旧力未完，新力未生，往往再想变换手法，有来不及处，一时要进退不灵活，就败于彼矣。以后用力之久，而一旦豁然贯通，将体式、法身全都脱去，始悟前者所练体式，皆是血气；所用之法术，乃是成规。先前用法，中间皆有间断，不能连手变化，皆因是后天用事，不得中和之故也。昔年有一某先生，亦是练拳之人，在余处闲谈。彼凭着血气力足，不明此拳之道理，暗中有不服之意。余此时正洗面，且吾洗面之姿式，皆用骑马式，并未注意于彼。不料彼要取玩笑，起身用脚，望着余之后腰用脚踢去。彼足方到予之身边，似挨未挨之时，予并未预料，譬如静坐工夫，丹田之气始动，心中之神意知觉，即速又望北[③]接渡也。此时物到神知，予神形合一，身子一起，觉腰下有物碰出，回观，则彼跌出一丈有余，平身躺在地下。予先何从知彼之来，又无从知以何法应之，此乃拳术无意中抖擞之神力也，至哉信乎，拳经云 “拳无拳，意无意，无意之中是真意”也。至此拳术无形无相，无我无他，只有一神之灵光，奥妙不测耳。拳经云：“混元一气吾道成，道成莫外五真形，真形内藏真精神，神藏气内丹道成。如问真形须求真，要知真形合真相，真相合来有真诀，真诀合道得彻灵。养灵根而动心者，敌将也；养灵根而静心者，修道也。武艺虽真窍不真，费尽心机枉劳神，祖师留下真妙诀，知者传授要择人。”

注 释

① 鬼神之为德……体物而不可遗：鬼神即阴阳二气，德指阴阳二气相合之作用，是强盛的。它的作用是无形无声的，体现在万物上是不可缺少的。

② 彼：原文“被”误，改为“彼”。

③ 原文“北”字，疑是彼字之误。

## 述张树德先生言　一则

### 一　则

张树德先生云：形意拳之道，不言器械。予初练之时，亦只疑无有枪刀剑术之类。予练枪法数十年，访友数省，相遇名家，亦有数十余名，所练门派不同，亦各有所长。予自是而后，昼夜勤习，方得其枪中之奥妙。昔年用枪，总以为自己身手快利，步法活动，用法多巧。然而与人相较，往往被人所制。后始知不在乎形式法术，有身如无身，有枪如无枪，运用只在一心耳心即枪，枪即心也。枪分三节八楞。用眼视定彼之形式，上中下三路，或稍节，中节，根节，心一动而手足与枪合一，似蛟龙出水一般，直到彼身，彼即败矣。方知手足动作，教练纯熟，不令而行也。予自练形意拳以来，朝夕习练，将道理得之于身心，而又知行合一，故同一长短之枪，已觉自己之枪，昔用之似短，今用之则长。① 更觉善用者，不在枪之形式长短，全在拳中神意之妙用也。又方知拳术即剑术枪法，剑术枪法亦即拳术也。拳经云："心为元帅，眼为先锋，手足为五营四哨，以拳为拳，以拳为枪，② 枪扎如射箭"即此意也。故此始悟形意拳术，不言枪剑，因其道理中和，内外如一，体物而不遗，无往而不得其道也。③

注释

① 予自……今用之则长：谓自掌握形意拳之道，熟练地知行合一，过去的枪，使用时已感觉与过去有所不同，昔用之似短，今用之以长，道理得之于身心，便可应之于手。

② 以拳为拳，以拳为枪：未得形意拳之道时，拳犹是拳，得其道后，拳便可当枪使用了。

③ 故此……无往而不得其道也：谓因此明白，若能掌握形意拳的中和之道，内外如一，接触到任何事物都能顺利得法。所以虽不谈枪剑，但形意拳神意之妙用，也包括了枪剑等法的运用。

## 述刘晓兰先生言 一则

### 一 则

刘晓兰先生云：形意拳之道无他，不过变化人之气质，得其中和而已。从一气而分阴阳，从阴阳而分五行，从五行而还一气。十二形之理，亦从一气阴阳五行变化而生也。朱子云：“天以阴阳五行化生万物，气以成形，而理即敷焉”，即此意也。余从幼年练八极拳，工夫颇深，拳中应用之法术，如搀肘、定肘、挤肘、挎肘等等之着法，亦极其纯熟，与人相较，往往胜人。其后遇一能手，身躯灵变，或离或合，则吾法无所施，往往拘守成法而不能变，尚疑为自己工夫不纯之过也。其后改练形意拳，习五行生克应用之法则，如劈拳能破崩拳，以金克木；躜拳能破炮拳，以水克火。习至数十年方悟所得之道，知行合一之理，心中极其虚灵，身形亦极其和顺，内外如一。又知五行拳互相生克，金克木，木亦能克金；金生水，水亦能生金，古人云“互相递为子孙”之意也。以前所用之法则，而时应用，无不随时措之宜也，[①] 亦无入而不自得也。因此始知形意拳是个中和之体，万物皆涵育于其中矣。

注 释

① 互相递为子孙……随时措之宜也：互相递为子孙之意是按上边所说拳中互相变化，金生水（劈拳变钻拳），水亦能生金（钻拳变劈拳），金克木（劈拳破崩拳），木亦能克金（崩拳破劈拳）。实际生活中亦可举例；如师长教弟子，弟子有所得亦可转教师长，即互相递为师弟。此理在拳术纯熟时，

一形可变多形，因时因势而变化，一形亦可破多形。当年郭云深老先生以半步崩拳打天下，可资证明“以前所用之法则”是指金克木、金生水的常道，然而有时反其道而用之，即木克金，水生金的方法，只要纯熟，自能生巧，随时用之无不得心应手。

## 述李镜斋先生言　一则

### 一　则

李镜斋先生言：常有练拳术者，多有体用不合之情形。每见所练之体式，工夫极其纯熟，气力亦极大，然而所用之法则，常有与体式相违者，皆因是所练之体中形式不顺，身心不合，则有悖戾之气也。譬如儒家读书，读的极熟，看理亦极深，惟是所作出之文章，常有不顺，亦是伊所看书之理，则有悖谬之处耶。虽然文武不同道，其理则一也。

## 述李存义先生言　二则

### 一　则①

李存义先生言：拳经云：“静为本体，动为作用，寂然不动，感而遂通”，是化劲炼神还虚之用也。明、暗劲之体用，是将周身四肢松开，神气缩回而沉于丹田，内外合成一气，再将两目视定彼之两目或四肢，自己不动，而为体也。若是发动，刚柔曲直，纵横圜研，虚实之劲，起落进退，闪展伸缩，变化之法，此皆为用也。此是与人相较之时，分析②体用之意义也。若论形意拳本旨之体用，是自己练趟子为之体，与人相较之时，按练时而应之为之用也。虚实变化不自专用，因彼之所发之形式而生之也。

注释

① 一则：原文"一问"误，改为"一则"。

② 分析：原文"分折"误，改为"分析"。

## 二则

余练习拳学，一生不知用奸诈之心，先师亦常云：兵不厌诈，自己虽不用奸诈，然而不可不防他人。终身未尝有意一次用奸诈之胜人，皆以实在功夫也。若以奸诈胜人，彼未必肯心服也，奸诈心有何益哉。与人相较，总是光明正大，不能暗藏奸心，或是胜人，或是败于人，心中自然明晓，皆能于道理有益也。虽然奸诈自己不用，亦不可不防，惟是彼之道理刚柔、虚实、巧拙不可不察也此六字是道理中之变化也。奸诈者不在道理之内，用好言语将人暗中稳住，用出其[1]不意打人也。刚者，有明刚，有暗刚；柔者，有明柔，有暗柔也。明刚者，未与人交手时，周身动作、神气皆露于外，若是相较，彼一用力抓住吾手，如同钢钩一般，气力似透于骨，自觉身体如同被人捆住一般，此是明刚中之内劲也。暗刚者，与人相较，动作如平常，起落动作亦极和顺，两手相交，彼之手指软似棉，用意一抓，神气不只透于骨髓，而且牵连心中，如同触电一般，此是暗刚中之内劲也。明柔者，视此人之形式动作，毫无气力，若是知者视之，虽身体柔软无有气力，然而身体动作[2]身轻如羽，内外如一，神气周身并无一毫散乱之处。与彼交手时，抓之似有，再用手或打或撞，而又似无，此人又毫不用意于己，此是明柔中之内劲也。暗柔者，视之神气威严，如同泰山，若与人相较，两手相交，其转动如钢球，手方到此人之身似硬，一用力打去，则彼身中又极灵活，手如同鳔胶相似，胳膊如同钢丝条一般，能将人以粘住，或缠住，自己觉着诸方法不能得手，此人又无有一时格外用力，总是一气流行，此是暗柔中之内劲也。此是余与人道艺相交，两人相较之经验也。以后学者若遇此四形式之人，量自己道理深浅，神气之厚薄，而相较量。若是自己不能被彼之神气欺住，可以与彼相较；若是觌面先被彼神气罩住，自己先惧一头，就不可与彼较量。若无求道之心则已，若是有求道之心，只可虚心而恭敬之，以求其道也。兵法云："知己知彼，百战百胜。"能如此视人，能如此待人，可以能无敌于天下也。并非人人能胜方为英雄也。虚实巧拙者，是彼此两人一觌面数言，就要相较，察彼之身形高矮，动作灵活不灵活，又看彼之神气厚薄，一动一静，言谈之中，是内家是外家，先不可骤然取胜于人，先用虚手以探试之，等彼之动作，或虚或实，或巧或拙，一露形迹，胜败可以知其大概矣。被人所败不必言矣，若是胜于人亦是道理中之胜人也。就是被人所败，亦不能用奸诈之心也。余所以练拳一生，总是以道服人也。以上诸先师亦常言之，亦是余一生所经验之事也。以后学者，虽然不用奸诈，不可不防奸诈，莫学余忠厚，时常被人所欺也。

注释

①出其：原文"出具"有误，改为"出其"。

②动作：原文"作动"有误，改为"动作"。

## 述田静杰先生言　一则

### 一　则

田静杰先生言：形意拳术之理，本是不偏不倚，中正和平，自然一气流行之道也。拳经云："身式不可前栽，不可后仰，不可左斜，不可右歪。"即不偏不倚之意也。其气卷之则退藏于密即丹田也，放之则弥六合心与意合，意与气合，气与力合，是内三合也；肩与胯合，肘与膝合，手与足合，是外三合也。[①] 练之发着于十二形之中十二形为万形之纲也。身体动作因着形式，有上下大小之分，动静刚柔之判，起落进退之式，伸缩隐现之机也。虽然外体动作有万形之分，而内运用一[②]以贯之也。

**注 释**

① 肩与胯合，肘与膝合，手与足合，是外三合也：原文脱漏"手与足合"四字，"内三合"当作"外三合"。

② 一：指一气。

## 述李奎垣先生言　四则

### 一　则

李奎垣[①]先生云：形意拳术之道，意即人之元性也，在天地则为土。土者，天地之性；性者，人身之土也。在人则为性，在拳则为横。横者，即拳中先天圆满中和之一气也。内包四德，即劈、崩、躜、炮也，亦即真意也。形意者，是人之周身四肢动作，从其规矩，顺其自然，外不乖于形式，内不悖于神气。外面形式之顺，是内中神气之和；外面形式之正[②]，是内中意气之中。是故见其外，知其内；诚于内，形于外，即内外合而为一者也。先贤云："得其一而万事毕"，此为形意拳术，形意二字大概之意义也。

坐功虽云静极而生动，丹田之动，是外来之气动，其实还是意动，群阴剥尽一阳来复，是阴之静极而生动矣。丹书《练己篇》云："己者，我之真性，静则为性，动则为意，妙用则为神也。"不静则真意不动，真意不动，而何有妙用乎。所以动者，是真意。练拳术到至善处，亦是性至静，真意发动，而妙用即是神也。至于坐功静极而动，采取火候之老嫩，法轮升降之归根，亦不外性静意动，一神之妙用也。[③]

注释

① 李奎垣：原文"李奎元"，当作"李奎垣"。

② 形式之正：原文"形之正"漏一"式"字。

③ 至于坐功……一神之妙用也：指道家坐功（内丹功）功法。火候者，指在炼内丹术功法全过程中应掌握的调息与用意的法度。它是保证"炼精化气""炼气化神""炼神还虚"等功法取得成功的关键，也是防危虑险的重要环节。火候的内容非常复杂，有文烹、武炼、下手、休歇、内外、先后、时刻、爻铢、缓急、止足等，一步有一步的火候。《天仙正理直论》把内丹术中的火候，具体地分为生药、采药、封固等火候，进阳火、退阴符的火候，小周天、大周天等火候。法轮：真气沿任督二脉循环升降，谓之法轮。归根：真气沿任督二脉循环升降后入于丹田。

## 二 则

练形意拳术，头层明劲，垂肩坠肘塌腰，与写字之工夫往下按笔意思相同也。二层练暗劲，松劲往外开劲缩劲，各处之劲与写字提笔意思相同也。顶头蹬足，是按中有提，提中有按也。三层练化劲，以上之劲，俱有而不觉有，只有神行妙用，与之随意作草书者，意思相同也。其言拳之规则法度，神气结构，转折形质，与曾文正公家书论[①]书字，言乾坤二卦，并礼乐之意者，道理亦相同也。[②]

注 释

① 论：原文“轮”误，改为“论”。

② 曾国藩家书论字，是在信中教导他弟弟的一番话：“予谓天下万事万理皆出于乾坤二卦。即以作字论之：纯以神行，大气鼓荡，脉络周通，潜心内转，此乾道也；结构精巧，向背有法，修短合度，此坤道也。凡乾以精气言，凡坤以形质言。礼乐不可斯须去身，即此道也，乐本于乾，礼本于坤，作字而悠游自得真力弥满者，即乐之意也；丝丝入扣转折合法即礼之意也。”（见 1985 年长沙岳麓书社出版《曾国藩全集·家书》第一册 35 页）

## 三 则

形意拳术之道，勿拘于形式，亦不可专务于形式，二者皆非正道。先师云：“法术规矩在假师传，道理巧妙须自己悟会。故练拳术者，不可以练偏僻奇异之形式，而身为其所拘。亦不可以练散乱无章之拳术，而不能通其道。”所以练拳术者，先要求明师得良友，心思会悟，身体力行，日日习练，不可间断，方能有得也。不如是，混混沌沌一生，茫然无所知也。俗语云：“世上无难事，就怕心不专”，世人皆云拳术道理深远不好求，实则不然。《中庸》云："道不远人，人之为道而远人。[①]" 天地之间，万物之理，皆道之流行分散耳。人为一小天地，亦天地间之一物也。故我身中之阴阳，即天地之阴阳也，万物之理，亦即我身中之理也。《大学注》云："心在内，而理周乎物；物在外，而理具于心。"[②]《易注》云："远在六合以外，近在一身之中，远取诸物，近取诸身"，天地之大，六合之远，万物之理，莫不在我一身之中。其拳始言一理，即形意拳中之太极三体式之起点也。中散为万事，即阴阳五行十二形，以至各形之理，无微不至也。末复合为一理者，即各形之理，总而合之，内外如一也。放之则弥六合者，即身体形式伸展，内中神气放开，圆满无缺也。高者如同极于天也，远者如至六合之外也。卷之则退藏于密者，即神气缩至于丹田，至虚至无之意义也。远取诸物者，譬如蛇之一物，曲屈夭矫，来去如风，吾欲取其意也。近取诸身者，若练蛇形，须研究其形，是五行拳中即劈、崩、蹚、炮、横也何行合化而生出此形之劲也。劲者，即内中神气贯通之气也。所以要看此形之行动，头尾身，伸缩盘旋，三节一气，无一毫之勉强也。物之性能，柔中有刚，刚中有柔。柔者，如同丝带相似；刚者，缠住别物之体，如钢丝相似。再将物之形式动作，灵活、曲折、刚柔之理，而意会之，再自己身体力行而效之，工久自然得着此物之形式性能，与我之性能合而为一矣。此形之性能，格物通了，再格物他形之性能。十二形之理亦然。以至于万形之理，只要一动一静，骤然视见，与我之意相感，忽觉与我身中之道相合，即可仿效此物之动作，而运用之。所以练拳术者，宜虚心博问，不可自是。余昔年与人相较枪拳之时，即败于人之手，然而又借此他胜我之法术，而得明我所练之道理也。是故拳术即道理，道理即拳术，天地万物无不可效法也，即世人亦无不可作我之师与友也。所以余幼年练拳术，性情异常刚愎，总觉己高于人，自拜郭云深先生为师，教授形意拳术，得着门径，又得先生循循善诱，自己用功，昼夜不断，又得良友相助，忽然豁然明悟，心阔似海，回思昔日所练所行，诸事皆非，自觉心中愧悔，毛发悚惧，自此而知古人云："求圣求贤在于己，功名富贵在于命。"练拳术者，关于人之一生祸福，后学者不可不知也。自此以后不敢言己之长，议人之短，知道理之无穷，俗云："强中自有强中手，能人背后有能人。"心中战战兢兢，须臾不敢离此道理，一生亦不敢骄矜于人也。

注释

① 道不远人……人之为道而远人：这两句大意是说，道是人之性，物之理，无人不知不晓，所以说道与任何人皆不远。"人之为道远人"，是说有人看不起这种平易之道而不屑于为，反去攀附那高远难行之事而不可得，是自己远离道也。拳术之道至简且易，只要肯去求，就会得，如认为拳术之道深奥不可求，不去求，便永远不会得其拳道，其他事物皆然。

② 心在内……而理具于心：大意是说，心意自内所发出道理的变化，可以包括一切事物。物在外的变化也能具备于心，这就是《大学》所说的"致知在格物"，也就是说，穷至事物之理，即便极深的知识也能达到。

## 四则

形意拳之道，练之有无数之曲折[①]层次，亦有无数之魔力混乱，一有不察，拳中无数之弊病出焉。故练者，先以心中虚空为体，以神气相交为用，以腰为主宰，以丹田为根，以三体式为基础，以九要之规模为练拳之具，以五行十二形为拳中之物。故将所发出散乱之气，顺中用逆缩回，归于丹田，用呼吸锻炼，不用口鼻呼吸，要用真息积于丹田。口中之呼吸，舌顶上腭，口似张非张，似胳非胳[2]，还照常呼吸，不可有一毫之勉强，要纯任自然耳。所以要除三害，挺胸、提腹、努气，是练形意拳之大弊病也。或有练的规矩不合，自己不知，身形亦觉和顺，心中亦觉自如，然而练至数年工夫，拳术之内外不觉有进步，以通者观之，是入于俗派自然之魔力也。或有练者，手足动作亦整齐，内外之气亦合的住，以傍[3]人观之，周身之力量，看着亦极大无穷，自觉亦复如是，惟是与人相较，放在人家之身上，不觉有力，知者云：是被拘魔所捆也。因两肩根、两胯里根不舒展，不知内开外合之故也，如此虽练一生，身体不能如羽毛之轻灵也。又有时常每日练习身形亦和顺，心中亦舒畅，忽然一朝，身形练着亦不顺，腹中觉着亦不合，所练的姿式起落进退亦觉不对，而心中时觉郁闷，知者云是到疑团之地也。其实拳术确有进步，此时不可停工，千万不可被疑魔所阻，即速求师说明道理而练去，用力之久，而一旦豁然贯通，则众物之表里精粗之无不到，而吾拳之全体大用无不明矣。至此，诸魔尽去，道理不能有所阻也。邱祖[4]云：“经一番魔乱，长一层福力也。”

注 释

①曲折：原文“曲析”，当为“曲折”。

②胳：音wěn，同“吻”。

③傍：近旁，附近。

④邱祖：指邱处机，自号长春子，元初栖霞人，道学甚深。世称长春真人。

## 述耿诚信先生言　一则

### 一　则

耿诚信先生云：幼年练习拳术之时，肝火太盛，血气甚旺，往往与人无故不相和，视同道如仇敌，自己常常自烦自恼，此身为拙劲所拘，不知自己有多大力量。有友人介绍深州刘奇兰先生，拜伊为门下，先生云："此形意拳，是变化气质之道，复还于初，非是求后天血气之力也。"自练初步明劲之工夫，四五年之时，自觉周身之气质、腹内之性情，与前大不相同，回思昔年所做[①]之事，对于人所发之性情言语，时时心中甚觉愧悔。自此而后，习练暗劲，又五六年，身中内外之景况，与练明劲之时，又不同矣。每见同道之人，无不相合，遇有技术在我以上者，亦无不称扬之。此时自己心中之技术，还有一点吝啬之心，不肯轻示于人。嗣又迁于化劲，习之又至五六年工夫，由身体内外刚柔相合之劲，而渐化至于无此。至此方觉腹内空空洞洞、浑浑沦沦，无形无象，无我无他之境矣。自此方无有彼此之分，门户之见，遇有同道者，无所不爱，或有练习未及于道者，无不怜悯而欲教之。偶遇同道之人相比较者，并无先存一个打人之心在内，所用所发皆是道理，亦无入而不自得矣。此时，方知形意拳是个中和之道理，所以能变化人之气质，而入于道也。

注　释

①做：原文"作"字误，改为"做"。

## 述周明泰先生言　一则

### 一　则

周明泰先生云：形意拳之道，练体之时，周身要活动，不可拘束。拳经云十六处练法[①]之中，虽有四就之说，就者，束身也。束身非拘也，是将身缩住，内开外合，虽往回缩，外形之式要舒展，顺中有逆，逆中有顺。是故形意拳之道，内中之神气要中正相交，外形之姿式，要和顺不悖，所以练体之时，周身内外不要拘束也。练体之时，不可拘束，然而所用之时，外形亦不可有散乱之式，内中不可有骄惧之心，就是遇武术至浅之人，或遇不识武术之人，内中不可有骄傲之心存，亦不可以一手法必胜他人。务要先将自己之两手，或虚或实，要灵活不可拘力，两足之进退，要便利不可停滞。或一二手，或[②]三五手不拘，将伊之虚实真情引出，再因时而进之，可以能胜他人也。倘若遇武术高超之人，知其工夫极深，亦见其身体动作神形相合，己心中亦赞美伊之工夫，亦不可生恐惧之心，务要将神气贯注，两目视定伊之两眼之顺逆，再视伊之两手两足，或虚实、或进退。相交之时，彼进我退，彼退我进，彼刚我柔，彼短我长，彼长我短，亦得量彼之真假灵实而应之，不可拘定一成法而必胜于人也。如此用法，虽然不能胜于彼，亦不能一交手，即败于彼也。故练拳术之道，不可自负其能，无敌于天下也。亦不可有恐惧心，不敢与人相较也。所以务要知己知彼。知己不知彼不能胜人，知彼而不知己亦不能胜人，故能知己知彼，可以能胜人，而亦能成为大英雄之名也。

注 释

① 十六处练法：详本书第七章。

② 或：原文“式”字误，改为“或”。

## 述许占鳌先生言　二则

### 一 则

许占鳌先生云：练形意拳之道，万不可有轻忽易视之心。五行十二形，以为七日学一形，或十日学一形，大约少者半年，可以学完，多者一年之工夫足以学完全矣。如此练形意拳，至于终身不能有所得也。所会者，不过拳之形式与皮毛耳。或者又知此拳之道理精微，不易得之于身，而有畏难之心，总疑一形两形，大约三年五年，亦不能得其精微，若于全形之道理，大约终身亦得不完全矣。二者有一，虽然习练，始终不能有成也。二者若是全无，再虚心求老师传授。第一，三害之病不可有；第二，九要之规矩要真切；第三，三体式要多站，九要要整齐，身子外形要中正，心中要虚空，神气呼吸要自然，形式要和顺。不如此，不能开手开步练习也。若是诚意练习，总要勿求速效。一日不和顺，明日再站；一月不和顺，下月再站。因三体式是变化人之气质之始，并非要求血气之力，是去自己之病耳拙气拙力之病。所以站三体式者，有迟速不等，因人之气质禀受不同也。至于开手开步练习，一形不顺不能练他形。一月不顺，下月再练；半年不顺，一年练，练至身体和顺，再练他形。非是形式不熟，亦是内中之气质未变化耳。一形通顺，再练他形，自易通顺，而其余各形皆可一气贯通，拳经云：“一通无不通也。”所以练形意拳者，勿求速效，勿生厌烦之心，务要有恒，作为自己一生始终修身之工课。不管效验不效验，如此练去，功夫自然而有得也。

## 二 则

形意拳术三体式者，天、地、人三才之象也，即人身中之头、手、足也，亦即形意、八卦、太极拳三派合一之体也。此式是虚而生一气，是自静而动也。太极两仪至于三体式，是由动而静也，再致虚极静笃时还于本性。此性是先天之性，不是后天之性，此是形意拳术之本体也。此三体式，非是后天拙力血气所为，乃是拳中之规矩，传受而致也。此是拳术最初还虚之道也。此理与静坐之工相合也。静坐要最初还虚，俟虚极静笃时，海底而生知觉，要动而后觉，是先天动，不可知而后动；知后而动，是后天妄[1]想而生动也。俟一阳动时，即速回光返照，凝神入于气穴，神气相交，二气合成一气。再有传授，文武火候老嫩，呼吸得法，能以锻炼进退升降，亦可以次而行工也。因此是最初还虚，血气不能加于其内，心中空空洞洞，即是明心见性[2]矣。前者自虚无至三体式，是由静而动，动而复静，是拳中起蹬落翻之未发，谓之中也。中者，是未发之和也。三体式重生万物张者，是静极而再动，此是起蹬落翻已发也。已发，是拳之横拳起也。内中之五行拳、十二形拳，以致万形，皆由此而生也。《中庸》云："天命之谓性，率性之谓道"[3]，不动是未发之中也。动作能循环三体式之本体，是已发之和也[4]，和者是已发之中也。将所练之拳术，有过犹不及之气质[5]，仰而就，仰而止，教人改变气质[6]，复[7]归于中，是之谓教也。故形意拳之内劲，是由此中和而生也。俗语云："拳中之内劲是鼓小腹，硬如坚石"，非也。所以形意拳之内劲是人之元神、元气相合[8]，不偏不倚，和而不流，无过不及，自无而有，自微而著，自小而大，由一气之动而发于周身，活活泼泼无物不有，无时不然，《中庸》云："放之则弥六合，卷之则退藏于密，其味无穷"，皆是拳之内劲也。善练者，玩索而有得焉，则终身用之，有不能尽者矣。三体式，无论变更何形，非礼不动礼即拳中之规矩姿式也，所以修身也。故一动一静，一言一默，行止坐卧皆有规矩，所以此道动作，是纯任自然，非勉[9]强而作也。古人云："内为天德，外为王道，并非霸术所行"，亦是此拳之意义也。

注 释

① 妄：原文"忘"字误，应改为"妄"。

② 明心见性：此佛家语，谓彻见自心本性。

③ 天命……之谓道：天命之谓性，是说天赋予的自然原有的性，率性是按照性的要求自然发展谓之道。

④ 之和也：原文"自和之"误，改为 "之和也"。

⑤ 有过犹不及之气质：原文"有过由不及而之气质"误，改为"有过犹不及之气质"。

⑥ 改变气质：原文"改气质"漏字，应为"改变气质"。

⑦ 复：原文"腹"字误，改为"复"。

⑧ 元气：指人之精气，亦即先天之气。元神：是道家语，指灵魂也。元神、元气相合是拳中之内劲 （元神原指来源于父母双方精气的媾和之神，《灵枢·本神篇》："生之来谓之精，两精相搏谓之神"）。

⑨ 勉：原文"免"字误，改为"勉"。

# 第五章　八卦拳

## 述程廷华先生言　一则



### 一　则

程廷华先生云：练八卦拳之道，先得明师传授，晓拳中之意义，并先后之次序。其实八卦，本是一气变化之分一气者，即太极也，一气仍是八卦、四象、两仪之合。是故太极之外无八卦，八卦、两仪、四象之外亦无太极也。所以一气八卦为其体，六十四变，以及七十二暗足互为其用。体亦谓之用，用亦谓之体，体用一源，动静一道。远在六合以外，近在一合身中。一动一静，一言一默，莫不有卦象焉，莫不有体用焉，亦莫不有八卦之道焉。其道至大而无不包，其用至神而无不存。若是言练，先晓伸缩旋转圜研之理。先以伸缩而言之。缩者，是由高而缩于矮，由前而缩于后。从高而缩于矮之情形，身子如同缩至于深渊。从前而缩于后之意思，身体如同缩至于深窟。若是论身体伸长而言之，伸者自身体缩至极矮极微处，再往上伸去，如同手扪于天，往远伸去，又同手探于海角，此是拳中开合抽长之精意。古人云："其大无外，其小无内，放之则弥六合，卷之则退藏于密。"所以八卦拳之道，无内外也。研者身转如同几微的螺丝细轴一般，身体有研转之形，而内中之轴，无离此地之意也。旋转者[①]，是放开步法，迈足望着圆圈一旋转，如身体转九万里之地球一圈之意也。至于身体刚柔，如玲珑透体，活活泼泼，流行无滞，又内中规矩，的的确确不易。胳膊百练之纯钢，化为绕指之柔；两足动作，皆勾股三角[②]；两手之运用，又合弧切八线[③]，所以数不离理，理不离数，理数兼该，乃得万全也。将此道得之于身心，可以独善其身，亦可以兼善天下。身之所行，是孝弟[④]忠信。无事口中可以常念阿弥陀佛，行动不离圣贤之道。心中亦不离仙佛之门。非知此，不足以言练八卦拳术也。亦非如此，不能得着八卦拳之妙道也。

注 释

① 旋转者：原文"旋转之"误，改为"旋转者"。

② 勾股三角：指不等边三角形，股为较长的边，勾为较短的边，对着直角的边叫作弦。

③ 弧切八线：圆上任意两点间的部分叫弧。和圆上有一个公共点的直线叫作圆的切线。直角三角形之三边，关于其任一锐角，可组成任一比率，而名之此角之正弦、余弦、正切、余切、正割、余割、正矢、余矢，称三角函数亦称八线。

④ 孝弟："弟"古同"悌"，孝悌。

# 第六章　太极拳

## 述郝为桢先生言　一则



### 一　则

郝为桢先生云：练太极拳有三层之意思。初层练习，身体如在水中，两足踏地，周身与手足动作如有水之阻力。第二层练习，身体手足动作如在水中，而两足已浮起不着地，如长泅者浮游其间，皆自如也。第三层练习，身体愈轻灵，两足如在水面上行，到此时之景况，心中战战兢兢，如临深渊，如履薄冰，心中不敢有一毫放肆之意，神气稍为一散乱，即恐身体沉下也。拳经云："神气四肢，总要完整，一有不整，身必散乱，必至偏倚，而不能有灵活之妙用"，即此意也。又云：知己功夫，在练十三式。或欲知人，须有伴侣二人，每日打四手即掤[①]、攌、挤、按也，工久即可知人之虚实、轻重，随时而能用矣。倘若无人与自己打手，与一不动之物当为人，用两手或手体与此物相较，视定物之中心，或粘或走或靠[②]，手足总要相合，或如粘住他的意思，或如似挨未挨他的意思，身子内外总要虚空灵活，工久身体亦可以能灵活矣。或是自己与一个能活动之物，物之动去，我可以随着物之来去，以两手接随之，身体曲伸往来，上下相随，内外一气，如同与人相较一般。仍是求不即不离，不丢不顶之意也。如此心思会悟，身体力行，工久引进落空之法，亦可以随心所欲而用之也。此是自己用工，无有伴侣之法则也。郝为桢先生与陈秀峰先生所练之架子不同，而应用之法术，同者极多，所不同者，各有心得之处或不一也。

注 释

① 掤：原文"捧"为作"掤"。

② 或靠：原文"靠或"植字误，改为"或靠"。

## 述陈秀峰先生言　一则

### 一 则

陈秀峰[①]先生言：太极八卦与六十四卦，即手足四干四枝共六十四卦也其理《八卦拳学》言之详矣。与程廷华先生言游身八卦并六十四卦[②]，两派之形式用法不同，其理则一也。陈秀峰先生所用太极八卦或粘或走，或刚或柔，并散手之用，总是在不即不离内求玄妙，不丢不顶中讨消息，以至引进落空、四两拨千斤动作所发之神气，如长江大海，滔滔不绝也此拳之道理，王宗岳先生所著《太极拳经》论之最详。程廷华先生所用之游身八卦，或粘或走，或开或合，或离或即，或顶或丢，忽隐忽现，或忽然一离，相去一丈余远，忽然而回，即在目前，或用全体之力，或用一手，或二指，或一指之一节，忽虚忽实，忽刚忽柔，无有定形，变化不测。形意、八卦、太极三家，诸位先生所练之形式不同，其理皆合，其应用亦各有所当也。

注 释

① 陈秀峰：原文“秀陈峰”植字有误。

② 游身八卦并六十四卦：原文“并”字，疑为“共”字之误。

# 第七章　形意拳谱摘要

拳经云：形意拳之道有七拳、八字、二总、三毒、五恶、六猛、六方、八要[①]、十目、十三格、十四打法、十六练法、九十一拳、一百零三枪之论。恐后来学者未见过拳经，不知有此，故述之以明其义。

七拳：头、肩、肘、手、胯、膝、足，共七拳也。

八字：斩劈拳也，截蹿拳也[②]，裹横拳也，胯崩拳也，挑践拳也，即燕形也，顶炮拳也，云鼍形拳也，领蛇形拳也。

二总：三拳三棍为二总三拳是天、地、人生法无穷；三棍是天、地、人生生不已。

三毒：三拳、三棍精熟即为三毒。

五恶：得其五精，即为五恶。

六猛：六合练成，即为六猛。

六方：内外合一家，为六方。

八要：心定神宁，神宁心安，心安清净，清净无物，无物气行，气行绝象，绝象觉明觉明则神气相通，万气归根矣。

十目：即十目所视之意。

十三格：自七拳格起，至士、农、工、商为十三格。

十四打法：手、肘、肩、胯、膝、足，左右共十二拳，头为一拳、臀尾为一拳，共十四拳。名为七拳，故有十四处打法，此十四处打法变之则有万法，合之则为五行两仪，而仍归一气也。

十六处练法：一寸、二践、三躜、四就、五夹、六合、七齐、八正、九胫、十惊[3]、十一起落、十二进退、十三阴阳、十四五行、十五动静、十六虚实。

寸足步也。践腿也。躜身也。就束身也。夹如夹剪之夹[4]也。合内外六合，心与意合、意与气合、气与力合，是为内三合；肩与胯合、肘与膝合[5]、手与足合[6]，是为外三合。齐疾毒也，内外如一 。正直也，看正却是斜，看斜却是正。胫手摩内五行也。惊惊起四稍也，火机一发物必落，磨胫磨胫意气响连声。起落起是去也，落是打也，起亦打，落亦打，起落如水之翻浪，才成起落。进退进是步低，退是步高，进退不是枉学艺。 阴阳看阴而却有阳，看阳而却有阴，天地阴阳相合能以下雨，拳术阴阳相合才能打人，成其一块，皆为阴阳之气也。 五行内五行要动，外五行要随。动静静为本体，动为作用，若言其静，未露其机，若言其动，未见其迹，动静是发而未发之间，谓之动静也。虚实虚是精也，实是灵也，精灵皆有，成其虚实。拳经歌曰：“精养灵根气养神，养功养道见天真。丹田养就长命宝，万两黄金不与人。”

九十一拳：三拳分为二十一拳，五行生克是十拳，分为七十拳。共九十一拳。一拳分为七拳，是前打、后打、左打、右打、不打、打打、不打打打。

一百零三枪：天、地、人三枪、各分四柱，是三四一十二枪。五行五枪，是五七三十五枪。八卦八枪，是七八五十六枪，共一百零三枪也。

## 注 释

① 此处脱“九数”一项。即“八要”条后面。

九数：即身、肩、臂、手、指、股、足、舌、臀。

身：前俯后仰，其式不劲，左侧右倚皆身之病。正而似斜，斜而似正。

肩：头宜上顶，肩宜下垂，左肩成拗，右肩自随。身力到手，肩之所为。

臂：左臂右臂前伸，右臂左臂在肋，似曲非曲，似直不直，过曲不远，过直少力。

手：右（左）手在肋，左（右）手齐胸，后者是微塌，前者力伸，两手皆覆，用力宜匀。

指：五指各分，其形似钩，虎口圆满，似刚似柔，力须到指，不可强求。

股：左股在前，右股后撑，似直不直，似弓不弓，虽有直曲，每见鸡形。

足：左足直前，斜侧皆病，右足势斜，前踵对胫，随人距离，足趾扣定。

舌：舌为肉梢，卷则气降，目张发耸，丹田愈沉，肌容如铁，内坚腑脏。

臀：提起臀部，气贯四稍，两腿缭绕，臀部肉交，低则势散，故宜稍高。

② 截（躜拳也）：原文“攒”有误，改为“躜”。

③ 十惊：原文“警”字当作“惊”。

④ 如夹剪之夹：原文“加”有误，改为“夹”。

⑤ 肘与膝合：原文“肘与膝合”误，改为“肘与膝合”。

⑥ 手与足合：原文“手足与合”改为“手与足合”。

头打落意随足走，起而未起占中央；脚踏中门抢他位，就是神仙亦难防；肩打一阴反一阳，两手只在洞中藏；左右全凭盖他意，舒展二字一命亡；肘打去意占胸膛，起手好似虎扑羊；或在里拨一旁走，后手只在胁下藏；拳打三节不见形，如见形影不为能[①]。能在一思尽，莫在一思存；能在一气先，莫在一气后。胯打中节并相连，阴阳相合得之难；外胯好似鱼打挺，里胯藏步变势难；膝打几处人不明，好似猛虎出木笼；和身转着不停势，左右明拨任意行；脚打採意不落空，消息全凭后足蹬。与人较勇无虚备，去意好似卷地风。臀尾打起落不见形，好似猛虎坐卧出洞中。

拳经云："混元一气吾道成，道成莫外五真形，真形内藏真精神，神藏气内丹道成。如问真形须求真，要知真形和真象，真象合来有真诀，真诀合道得彻灵"；"养灵根而动心者，敌将也，养灵根而静心者，修道也。"

赤肚子胎息诀云："气穴之间，昔人名之曰生门死户，又谓之天地之根。凝神于此，久之元气日充，元神日旺。神旺则气畅，气畅则血融，血融则骨强，骨强则髓满，髓满则腹盈，腹盈则下实，下实则行步轻健，动作不疲，四体康健，颜色如桃李，去仙不远矣。"

此亦是拳术内劲之意义也。

注释

①如见形影不为能：原文"如见形影不为虎"误，改为"如见形影不为能"。

# 第八章　练拳经验及三派之精意

余自幼练拳以来，闻诸先生之言，云拳即是道。余闻之怀疑。至练暗劲，刚柔合一，动作灵妙，一任心之自然，与同道人研究，彼此各有所会。惟练化劲之后，内中消息与同道之人言之，知者多不肯言，不知者茫然莫解，故笔之于书，以示同道，倘有经此景况者，可以互相研究，以归至善。余练化劲所经者，每日练一形之式，到停式时，立正，心中神气一定，每觉下部海底处即阴蹻穴处如有物萌动。初不甚着意。每日练之有动之时，亦有不动之时，日久亦有动之甚久之时，亦有不动之时。渐渐练于停式，心中一定，如欲泄漏者，想丹书坐功，有真阳发动之语，可以采取。彼是静中动，练静坐者，知者亦颇多，乃彼是静中求动也。此是拳术动中求静，不知能消化否？又想拳经亦有“处处行持不可移”之言，每日功夫总不间断。以后练至一停式，周身就有发空之景象，真阳亦发动而欲泄，此情形似柳华阳先生所云“复觉真元”之意思也。自觉身子一毫亦不敢动，动即要泄矣。心想仍用拳术之法以化之。内中之意，虚灵下沉，注于丹田，下边用虚灵之意，提住谷道，内外之意思仍如练拳趟子一般。意注于丹田片时，阳即收缩，萌动者上移于丹田矣。此时周身融和，绵绵不断。当时尚不知采取转法轮之理，而丹田内，如同两物相争之状况，四五小时，方渐渐安静。心想不动之理，是余练拳术之时，呼吸二息仍在丹田之中。至于不练之时，虽言谈呼吸，并不妨碍内中之真息，并非有意存照，是无时不然也。《庄子》云："有真人[①]呼吸以踵"，大约即此意也。因有不息而息之火，将此动物消化，畅达于周身也。以后又如前动作，仍提在丹田，仍是练拳趟子，内外总是一气，缓缓悠悠练之，不敢有一毫之不平稳处。动作练时，内中四肢融融，绵绵虚空，与前站着之景况无异。亦有练一趟而不动者，亦有练二趟而不动者，嗣后亦有动时，仍提至丹田，而动练拳之内呼吸，转法轮用意主之于丹田[②]，以神用息[③]而转之，从尾闾至夹脊，至玉枕，至天顶而下，与静坐功夫相同。下至丹田，亦有二三转而不动者，亦有三四转而不动者，所转者，与所练趟子消化之意相同。以后有不练之时，或坐立，或行动，内中仍以用练拳之呼吸，身子行路亦可以消化矣。以后甚至于睡熟，内中忽动，动而即醒，仍以用练拳之呼吸而消化之，以后睡熟而内中不动，内外周身四肢，忽然似空，周身融融和和，如沐如浴之景况。睡时亦有如此情形，而梦中亦能用神意呼吸而化之。因醒后，已知梦中之情形而化之也。以后练拳术睡熟时，内中即不动矣。后只有睡熟时，内外忽然有虚空之时，白天行止坐卧，四肢亦有发空之时，身中之情意，异常舒畅。每逢晚上练过拳术，夜间睡熟时，身中发虚空之时多；晚上要不练拳术，睡时发虚空之时较少。以后知丹道有气消之弊病。自己体察内外之情形，人道缩至甚小，消除百病，精神有增无减，以后静坐亦如此，练拳亦如此，到此方知拳术与丹道是一理也。以上是余练拳术，自己身体内外之所经验也，故书之以告同志。

拳术至练虚合道，是将真意化到至虚至无之境，不动之时，内中寂然，空虚无一动其心，至于忽然有不测之事，虽不见不闻，而能觉而避之。《中庸》云："至诚之道，可以前知"，是此意也。能到至诚之道者，三派拳术中，余知有四人而已。形意拳李洛能先生，八卦拳董海川先生，太极拳杨露禅先生，武禹襄先生。四位先生皆有不见不闻之知觉。其余诸先生，皆是见闻之知觉而已。如外有不测之事，只要眼见耳闻，无论来者如何疾快，俱能躲闪。因其功夫入于虚境而未到于至虚，不能有不见不闻之知觉也。其练他派拳术者，亦常闻有此境界，未能详其姓氏，故未录之。

注释

① 真人：原文"人真"误，改为"真人"。

② 主之于丹田：原文"之用于丹田"误，改为"主之于丹田"。

③ 以神用息：原文"以神转息"误，改为"以神用息"。

# 新书预告

## 武学名家典籍丛书

**孙禄堂武学集注**

**（形意拳学　八卦拳学　太极拳学　八卦剑学　拳意述真）**

孙禄堂　著　　孙婉容　校注　　定价：288 元

**杨澄甫武学辑注**

**（太极拳使用法　太极拳体用全书）**

杨澄甫　著　　邵奇青　校注　　定价：178 元

**陈微明武学辑注**

**（太极拳术　太极剑　太极答问）**

陈微明　著　　二水居士　校注　　定价：218 元

（第一辑）

**李存义武学辑注**

**（岳氏意拳五行精义　岳氏意拳十二形精义　三十六剑谱）**

李存义　著　　阎伯群　李洪钟　校注　　定价：258 元

**张占魁形意武术教科书**

张占魁　著　　吴占良　王银辉　校注

**薛颠武学辑注**

**(形意拳术讲义上编　形意拳术讲义下编　象形拳法真诠　灵空禅师点穴秘诀)**

薛　颠　著　　王银辉　校注　　　　　　　　定价：358 元

(第二辑)

**陈鑫陈氏太极拳图说（配光盘）**

陈　鑫　著　　陈东山　陈晓龙　陈向武　校注

**董英杰太极拳释义**

董英杰　著　　杨志英　校注

**许禹生武学辑注**

**(太极拳势图解　陈氏太极拳第五路　少林十二式)**

许禹生　著　　唐才良　校注

(第三辑)

**李剑秋形意拳术**

李剑秋　著　　王银辉　校注

**刘殿琛形意拳术抉微**

刘殿琛　著　　王银辉　校注

**靳云亭武学辑注**

**(形意拳图说　形意拳谱五纲七言论)**

靳云亭　著　　王银辉　校注

(第四辑)

## 武学古籍新注丛书

**王宗岳太极拳论**

李亦畬 著　　二水居士 校注　　定价：50元

**太极功源流支派论**

宋书铭 著　　二水居士 校注　　定价：68元

**太极法说**

二水居士 校注　　定价：65元

（第一辑）

**手战之道**

赵 晔 沈一贯 唐顺之 何良臣 戚继光 黄百家 黄宗羲 著

王小兵 校注

（第二辑）

## 百家功夫丛书

**张策传杨班侯太极拳108式**　（**配光盘**）

张 喆 著　　韩宝顺 整理　　定价：48元

**河南心意六合拳**　（**配光盘**）

李洳波 李建鹏 著　　定价：79元

（第一辑）

**形意八卦拳**

贾保寿 著　　武大伟 整理　　定价：49元

张鸿庆传形意拳练用法释秘　　邵义会　著

王映海传戴氏心意拳精要　　王映海　口述　　王喜成　主编

戴氏心意拳功理秘技　　王　毅　编著

（第二辑）

华岳心意六合八法拳　　张长信　著

程有龙传震卦八卦掌　　奎恩凤　著

杨振基传太极拳内功心法　　胡贯涛　著

刘晚苍传内家功夫与手抄老谱　　刘晚苍　刘光鼎　刘培俊　著

（第三辑）

## 民间武学藏本丛书

守洞尘技　　崔虎刚　校注

通臂拳　　崔虎刚　校注

心一拳术　　李泰慧　著　　崔虎刚　校注

六合拳谱　　崔虎刚　校注

少林论郭氏八翻拳　　崔虎刚　校注

（第一辑）

心意拳术学　　戴　魁　著　　崔虎刚　校注

武功正宗　　买壮图　著　　崔虎刚　校注

太极纲目　　崔虎刚　校注

神拳拳谱　　崔虎刚　校注

精气神拳书·王堡枪　　崔虎刚　校注

（第二辑）

## 老谱辨析点评丛书

再读浑元剑经　　马国兴　著
再读王宗岳太极拳论　　马国兴　著
再读杨式老谱　　马国兴　著
再读陈氏老谱　　马国兴　著

（第一辑）

## 民国武林档案丛书

太极往事　　季培刚　著

（第一辑）

## 拳道薪传丛书

三爷刘晚苍——刘晚苍武功传习录
刘源正　季培刚　编著　　定价：54元
慰苍先生金仁霖——太极传心录　　金仁霖　著
习武见闻与体悟　　陈惠良　著

（第一辑）

## 图书在版编目（CIP）数据

孙禄堂武学集注. 拳意述真 / 孙禄堂著；孙婉容校注.——北京：北京科学技术出版社，2016.1（2020.6 重印）

（武学名家典籍丛书）

ISBN 978-7-5304-8627-6

Ⅰ. ①孙… Ⅱ. ①孙… ②孙… Ⅲ. ①拳术－基本知识 Ⅳ. ①G852

中国版本图书馆 CIP 数据核字（2016）第 230064 号

**孙禄堂武学集注——拳意述真**

作　　者：孙禄堂
校 注 者：孙婉容
策　　划：王跃平　常学刚
责任编辑：王跃平
责任校对：贾　荣
责任印制：张　良
封面设计：张永文
版式设计：王跃平
出 版 人：曾庆宇
出版发行：北京科学技术出版社
社　　址：北京西直门南大街 16 号
邮政编码：100035
电话传真：0086-10-66135495（总编室）
　　　　　0086-10-66113227（发行部）　0086-10-66161952（发行部传真）
电子信箱：bjkj@bjkjpress.com
网　　址：www.bkydw.cn
经　　销：新华书店
印　　刷：保定市中画美凯印刷有限公司
开　　本：787mm × 1092mm　1/16
字　　数：107 千字
印　　张：13
插　　页：4
版　　次：2016 年 1 月第 1 版
印　　次：2020 年 6 月第 5 次印刷
ISBN 978-7-5304-8627-6 / G·2535

**定　价：48.00 元**